KB012201

neko shibai
키네코 시바이 지음
ill:Hisasi

온라인에서의 세테
가벼운 참가주의인 서머너(우).
은근히 즐기는 모양이지만,
아직도 어설프다.

아코모 ㄴㄴㄹ / 서테

"좋아, 무땅,
열심히 하자,
……아,
무땅
안 돼~
><"

현실!세계의
아키야마
온라인 게임부 일행들이 발끝에도
미치지 못할 정도의
리얼충 오라를 내뿜는 여자.
한때는 문제를 일으킨 적도
있지만(Lv.2 참조),
지금은 아코를 귀엽하며 귀여워하며
보살펴주는 입장.

Lv35   HP/1233   MP/192

Name	Sette
Job	Summoner
Sex	Female?

Atk/33+47 Mat/48+4
Def/31+29 Mdf/53+0

루시안……
선생님은
괴롭다
냐……"

사이토 아키 / 고양이공주

현실 세계의 사이토 선생님
연령은 17세하고도 6×개월이라는, 신입 미인 국어 교사. 온라인 게임의 최전선에서는 물러났…… 는데도 숨길 수 없는 오타쿠 냄새는 그녀를 얽맨 채 떨어지지 않는다. 혼자 일러스트 구성이 다른 건, 무사의 정(情)입니다.

온라인에서의 고양이공주 님
아이돌 같은 존재인 카디널(우). 우리 왕국민의 결속은 단단하다! 지크 고양이공주! 우리를 이끄는 잔 다르크! 우리의 여신! 성천사! ……아, 이제 그만해도 되나요?

Lv92	HP/18350 MP/2041
Name	Nekohime
Job	Cardinal
Sex	Female?

Atk/42+93	Mat/187+223
Def/91+67	Mdf/153+25

세가와 아카네
/슈바인

현실 세계의 세가와 아카네
이미 오타쿠 기분 나빠! 리
매도하기도 어려워진 숨은 오타
트윈테일 로리 메이드가 어떠냐고오
물론 최고 정의입니

고쇼인 쿄우
/애플리코트

현실 세계의 고쇼인 쿄우
잘못된 건 자신의 상식 아닌지?
라고 착각할 정도로 돈을 막 쓰는
과금충 아가씨…… 노출을 자제한 안경Ver.
그것을 벗기다니 말도 안 된다!

니시무라 히데키
/루시안

현실 세계의 니시무라 히데키
귀가부&취미는 게임인 오타쿠.
꽤나 자주 보이는 너희 같은 녀석. 분명 그럴 텐데.
메이드 여자 네 명에게 환영받는 놈 따위는
그냥 화면 바깥으로 쫓아내도 되지 않을까?

[급구] 마에가사키의 맛있는 음식을 먹을 수 있는 메이드 카페 [메이드장은 아코]

"거서 오세요, 주인님─"

타마키 아코 /아코

↖ **현실 세계의 타마키 아코**
온라인 게임과 현실을 구별하지 못하는
커뮤니케이션 장애 외톨이 소녀.
2학기에도 역시 은둔형 외톨이.
그건 그렇고 신부가 메이드에다
포니테일이라니 이것 참 뇌의 처리가
따라가질 못하겠는데요.

길고양이공주 친위대, 출격!
새벽의 수평선에 승리를 새겨라!

온라인에서의 애플리코트
과금,지상주의인 마법사(♂).
돈의,힘을 봉인당한 과금충은,
과금으로는 얻을 수 없는 것을
손에 넣을 수 있을 것인가

CHARACTER STATUS >>>>>
(FOR PvP)

Lv95	HP/23322	MP/681
Name	Rusian	
Job	Armor Knight	
Sex	Male	
Atk/83+149	Mat/29+49	
Def/111+349	Mdf/74+44	

Lv85	HP/5618	MP/1608
Name	Ako	
Job	Cleric	
Sex	Female?	
Atk/46+90	Mat/149+175	
Def/71+72	Mdf/121+18	

온라인에서의 루시안
방어구 지상주의인 아머 나이트(♂).
계정 해킹으로 '모든' 것을 '잃어버린' 소년은,
전보다도 아주 '조금' 단단해졌다─.

라인에서의 아코
ㄹ 지상주의인 클레릭(우).
ㄴ전에서는 의외로 쓸 만하다?
새라 아코, 지지 마라 아코!
ㄴ력이 부족한 공주 캐릭터를 넘어서,
을 지평으로─.

온라인에서의 슈바인
화력 지상주의인 '스드 댄서(♂).
골수 '오타쿠,' 로리' 소녀가,' 타오르는 마음과 함께
진정한 '사나이로' 성장할, 날은
바로 '코앞까지─.

Lv89	HP/11254 MP/466	Lv96	HP/15312 MP/5946	Lv35	HP/1530 MP/284	Lv92	HP/18350 MP/2041
Name	Schwein	Name	Apricot	Name	Sette	Name	Nekohime
Job	Sword Dancer	Job	Law Wizzard	Job	Summoner	Job	Cardinal
Sex	Male?	Sex	Male?	Sex	Female?	Sex	Female?
Atk/143+292 Mat/13+59		Atk/73+150 Mat/493+395		Atk/44+78 Mat/57+102		Atk/0+0 Mat/0+0	
Def/71+122 Mdf/39+14		Def/86+349 Mdf/262+56		Def/34+143 Mdf/56+22		Def/91+823 Mdf/153+28	

CONTENTS

And you thought
there is Never
a girl online?

ORIGINAL DESIGNED BY AFTERGROW

온라인게임의 신부는 여자아이가 아닐라고 생각한 거야?

And you thought there is Never a girl online?

키네코 시바이 **지음**

Hisasi **일러스트**

이경인 **옮김**

Lv.**4**

프롤로그

루시안즈 프로핏

온라인 게임을 오래 하다 보면 역시 후회되는 일이나, 나중에 떠올리면 반성하게 되는 일이 잔뜩 있다.

아니 아니, 고양이공주 씨 일이 아니라, 다른 것도 꽤 많다고.

예를 들자면— 그래, 이건 꽤나 예전 일이다.

우리가 앨리 캣츠를 만들기 조금 전이려나.

그때 나는 우연찮게 사냥에 나설 지인이 없어서 근처에서 모집한 파티에 참가하고 있었어.

열두 명 정도의 대규모 파티로, 제법 어려운 던전에 갈 예정이었지.

하지만 그 파티는 힐러가 한 명밖에 없었어.

그 힐러는 이사나 씨라는 사람이었는데, 파티장이 『인원이 많은데 힐러 혼자서 되겠어?』라고 물어보니까 이렇게 대답하더라고.

◆이사나 : 괜찮습니다.

라고, 태연하게.

괜찮을 리가 없다고 생각했어.

열두 명을 혼자서 회복하는 것만으로도 상당히 큰일인데,

거기에 던전도 꽤 어려운 곳이었거든.

그래그래. 아코였다면 세 명으로 늘어도 힘들어할 정도란 말이야.

아나나 다를까.

한 시간도 버티지 못하고 파티는 괴멸.

이건 힐러 잘못이라는 분위기가 돼서 곧바로 해산됐어.

◆이사나 : 죄송합니다. 정말로.

이사나 씨는 꾸벅꾸벅 고개를 숙였지만, 그 사람의 잘못은 아니었어.

왜냐하면 원래 무리가 있는 파티였으니까.

게다가 나도 말을 했어야 했어. 힐러 혼자선 힘들다고.

알고 있었으니까 도움을 줬어야 했지.

이사나 씨한테는 당신이 잘못한 게 아니라고 했지만, 역시 신경 쓰는 것 같더라.

그 사람이 은퇴하지 않기를 기도했어.

응. 굉장히 후회했지.

그 후에도 계속 마음에 걸렸어.

그리고 그로부터 몇 달 뒤.

또 비슷한 급조 파티에 들어갔을 때, 있었어.

그래, 이사나 씨. 은퇴하지 않고 제대로 계속하고 있더라.

근데 이번에도 역시 비슷한 파티여서, 열두 명 파티인데 힐러는 이사나 씨 한 명.

게다가 저번보다 어려운 던전에 갈 예정이었지.

그래서 또다시 파티장이 물었어. 혼자라도 괜찮으냐고.

그랬더니 이번에도 그 사람은 태연하게 말하더라고.

◆이사나 : 괜찮습니다.

응. 이번엔 말했지. 나도 확실히 말했어.

◆루시안 : 힐러 혼자선 힘드니까 부담 주지 않도록 배려합
시다.

이사나 씨는 괜찮다고 했으니까 쓸데없는 참견일지도 모
르지만, 분명 나를 기억하지 못할 거라 생각했지만, 그래도
말해두고 싶었어.

그랬더니 이사나 씨가 나한테 개인 채팅으로 한 마디만 보
내오더라.

◆이사나 : 고마워요.

그 일이 있고 나서 마음 한구석에서 계속 걸렸으니까.

그 체증이 화악 내려가서, 굉장히 시원해졌어.

말해서 다행이다. 앞으로도 무리하는 누군가한테 한마디
도움을 줄 수 있는 말을 건네자, 그렇게 생각했지.

뭐? 어, 아니…… 사냥은 잘 됐어.

응. 아무 문제 없이 끝났지.

이사나 씨가 엄청 능숙해져서 힐러 혼자서라도 여유로울
정도였어.

그래서 뭐, 정말로 쓸데없는 참견이었지만.

······응, 그래. 쪽팔렸다고!

잘난 척 말했던 내가 오히려 민폐를 끼칠 정도였으니까!

◆루시안 : 그, 그건 그렇고 아코, 말하고 싶은 건 알겠지?

◆아코 : 말하자면 예전 여친 자랑인 거죠?

◆루시안 : 왜 그렇게 되는 거야아아아아아아!

아닌가요? 라며 의아하다는 대답이 돌아왔다.

게다가 그 눈은 전혀 웃고 있지 않았다.

화면 너머에서 전해지는 분위기가 공포 그 자체다.

◆루시안 : 일단 말해두는데, 이사나 씨는 내용물이 남자였거든.

◆아코 : 루시안은 내용물이 남자라도 좋아할 수 있다는 전례가!

◆루시안 : 고양이공주 씨는 결과적으로 여자였잖아!

그건 이제 됐어!

◆루시안 : 그러니까 내가 하고 싶은 말은 말이지, 서로서로 도와주거나 배려하는 건, 해야겠다고 결심한 그 순간부터 시작해야 한다는 소리야.

◆아코 : 네에.

리액션에 조금 더 의욕을 담으라고.

이래 봬도 중요한 말을 하려는 거니까.

◆루시안 : 곤란하다는 어필을 하는 사람만 곤란한 게 아니야. 그건 아코도 잘 알지? 즐겁게 보이지만, 한편으로 부담을 느끼기도 한단 말이야.

◆아코 : 네. 그건 알죠.

좋아.

그걸 안다면 내 마음도 알아줄 터.

◆루시안 : 그래서 말이지. 즐거운 학창 생활을 보내는 것처럼 보이는 나만 해도, 슬슬 아코 때문에 놀림감이 되는 게 한계거든.

즉, 내가 하고 싶은 말은…….

◆루시안 : 이제 곧 여름 방학이 끝나고 학교가 시작되는데— 학교에서 우리는 부부가 아니라 평범한 관계라고 해줄 수 없을까?

◆아코 : 또, 또~ 루시안은 그런 소리를—.

뭐야, 이 녀석 또 이상한 소리를 하네~, 같은 그런 반응은?!

내 의견은 정당하다고!

◆루시안 : 여름 방학 다음 날이라고! 한여름의 경험이 어쩌니 하는 시답잖은 소리가 오고 가는 와중에 부부니 어쩌니 하는 소재는 엄청나다고!

◆아코 : 그러네요! 한여름의 경험을 해버린 어른의 분위기를 내는 게 좋지 않을까요?

◆루시안 : 아무 경험도 안 했어! 나는 아무 경험도 안 했다고!

◆아코 : 그럼 지금이라도…….

◆루시안 : 안∼ 해! 젠장, 조금 정도는 나를 도와줘도 되잖아!

곤란하게도, 나의 신부는 전혀 변함이 없습니다.

1장

위저드 디피컬티 온라인

And you thought there is Never a girl online?

게임 속에선 흔하더라도 현실에서는 말도 안 되는 일은 매우 많다.

예를 들어 사막이나 화산에서는 단순히 걷는 것만으로도 대미지를 입는다거나, 그런 거. 아무리 그래도 그건 말도 안 된다고 생각했다.

지금까지는 그렇게 생각했었다.

하지만 깨달았다. 내가 잘못 생각했다.

게임 속의 그 녀석들도 최선을 다해 노력했을 것이 틀림없다.

"더워……."

왜냐하면 여름 방학이 끝난 첫날 아침이 이렇게나 아프니까.

평범한 태양이 확실히 내 HP를 깎고 있었다.

사막이나 화산 같은 곳은 절대로 인간이 들어갈 환경이 아닐 것이다.

"내열(耐熱) 포션을 만들어줘, 살 테니까……."

판타지 세계에는 있는 게 어째서 현실에는 없는 걸까, 현대 과학의 패배를 느꼈다.

그런 9월 1일 아침, 나는 질색을 하며 통학로를 걷고 있었다.

여름 방학이 끝나서 그런지 태양도 전혀 쉬어주지 않는다. 정말로 푹푹 찐다.

지금 당장 에어컨이 켜진 내 방으로 돌아가서 기분 좋은 이불 속에 들어가 눈을 감고 싶은 기분으로 가득했다.

"나와 이불은 영원한 사랑으로 이어져 있는데, 어째서 갈라놓는 걸까."

현실 세계는 내 뜻대로 돌아가지 않는구나, 라며 메마른 한숨을 내쉬었다.

영원한 사랑이니 뭐니 하는 소리를 꺼내면 곧바로 달려드는 아코가 없는 게 조금 허전했다.

분명 아코는 나 이상으로 괴로워하며 등교하고 있겠지.

겉옷을 정돈하고 흐느적흐느적 학교로 향했다. 바깥도 덥지만 복도나 교실도 더웠다.

마에가사키 고등학교는 일정 온도를 넘지 않는 한 에어컨을 켜지 않는다는 수수께끼의 규칙을 갖고 있는데, 학교로서는 이 정도 온도는 그냥 참으라고 말하고 싶은 것이리라.

"교무실에는 항상 에어컨 틀어놓는 주제에……."

"진짜 덥지 않냐?"

내 혼잣말에 뒷자리의 남자가 대답했다.

"안녕—— 타, 타카사키."

"왜 대답에 조금 뜸을 들이는데."

"여름 방학 동안 분위기 변했나 싶어서?"

그런가? 라며 고개를 갸웃하는 타카사키에게는 미안하지만, 딱히 그렇게 변하지는 않았다고 생각한다.

단지 조금 곤란하게도— 내가 타카사키를 잠깐 기억하지 못했던 것뿐이다.

아니 아니, 잊어버린 건 아니야? 기억한다고?

이 녀석은 타카사키. 나랑 같은 반이고, 아코한테 말을 걸었다가 단칼에 잘려나간 녀석이다.

그 이후에 왠지 여자에게 다정해져서 약간 주가가 올라갔다고 한다.

응. 기억에는 확실히 있어. 있다고.

단지 말이야, 나와 타카사키는 이 정도의 거리감을 유지하면 되나?

이 정도로 허물없이 이야기를 했던가?

애초에 평소에는 무슨 대화를 했더라?

—이런, 인간관계 같은 게 떠오르지 않는단 말이지.

여름 방학 동안 온라인 게임 말고 다른 건 거의 하지를 않아서 인간다운 사고를 꽤나 잊어버린 느낌이 들었다.

"……여름 방학 다음 날은 위험해."

어쩌지, 어떤 식으로 대해야 할지 모르겠어.

공백 기간 무서워. 엄청 무서워.

"우와~ 니시무라, 너 피부 새하얀 그대로네. 전혀 안 탔잖아. 여름 방학에 뭐했냐?"

"컴퓨터랑 온라인 게임이랑 웹서핑?"

"그거 전부 똑같잖아. 나는 매일 육상부 연습이었거든. 이거 보라고, 새카맣지?"

"어어, 그러네."

다 아는 것처럼 말하긴 했지만, 나는 타카사키가 육상부였던 것도 몰랐다.

괜찮나? 이런 식으로 대화를 이어가도 괜찮나? 치명적인 실수를 범하진 않았겠지?

적어도 조금 더 친한 상대라면— 이라고 생각하다가 이 반에서 가장 친한 상대를 떠올렸다.

그래. 슈바인이다. 그 녀석이라면 문제없다.

여름 방학 중에도 실컷 놀았고, 괜찮다. 이야기할 수 있다.

그 녀석한테 물어보자. 나는 어떻게 남자 고등학생을 해왔더라? 같은 걸!

허겁지겁 오랜 시간 게임 속에서 동료로 지내온 슈바인, 세가와 아카네의 모습을 찾았다.

"그래서 말이지~ 나중 가니까 계속 알바다 알바다 그러더라고. 여름 방학이잖아? 평범하게 생각하면 일단은 나 우선 아니니? 너 그리고도 남친이야? 라는 반응이 안 나오겠어?"

"정말 그러네~."

아, 있다.

왠지 꽤나 짜증이 난 느낌으로 책상을 톡톡 두들기면서 여자랑 이야기를 나누고 있다.

"…………."

내 시선을 느낀 건지 세가와는 힐끔 이쪽으로 눈을 돌렸다.

『……안녕.』

『안녕.』

시선으로 살짝 인사를 나눴다.

세가와는 나 이상으로 썩은 동태 눈깔을 하고는 나른한 듯이 눈살을 찌푸렸다.

그 너무나도 귀찮아 보이는 얼굴이, 내심을 은연중에 웅변해주고 있었다.

『저기, 니시무라. 이 대화창 짜증 나는데, 왜 못 끄는 걸까?』

왠지 이런 소리를 하는 것 같아!

『너는 대체 무슨 소리를 하는 거야?!』

아니 아니, 안 되잖아! 제대로 같은 반 아이들과 대화를 즐기라고! 라며 고개를 내젓는 나를 보고 뭔가를 느낀 걸까.

세가와가 느릿느릿 자리에서 일어나서 이쪽으로 다가왔다.

"어, 저기, 세가와?"

"잠깐 와봐."

"느닷없이?! 적어도 이유를, 잠, 기다려, 목, 목!"

"아~ 니시무라가 세가와한테 구박받는 걸 보니 드디어 학교가 시작됐다는 느낌이 드네."

"너희드으으으을!"

남 일이라고 생각해서 따스하게 바라보기는!

이 녀석들하고 어떻게 접해야 할지 진지하게 생각하는 게 아니었어!

복도 한구석에서 마주 본 세가와는 잘 모를 뭔가에 대한 분노를 온몸으로 드러내고 있었다. 그럭저럭 친한 나조차도 뭐라 말을 꺼내야 할지 고민될 정도로.

"어어, 오랜만인가?"

"어제도 만났잖아."

만나긴 했지만, 그건 게임 속이잖아.

여름 방학 초반에는 『주 5일로 부활동을 하자!』며 의욕이 넘쳤던 현대통신전자 유희부였지만, 며칠 만에 『학교 가는 거 지치고 더운데, 그냥 LA 안에서 만나면 되지 않을까?』가 되어 등교하지 않게 되었다. 실제로는 한 달 정도 얼굴을 맞대지 않았다.

게임에서 빈번하게 대화를 하고 있으니까 오랜만이라는 느낌은 전혀 안 들긴 하지만.

"그보다 잠깐 내 말 좀 들어줘. 아니 들어봐. 됐으니까 닥

치고 내 말을 들어."

"어, 어어. 무슨 일인데?"

대체 세가와가 왜 이렇게 화가 났나 싶었는데—.

"여름 방학 다음 날에 있는 같은 반 아이들과의 강제 대화 이벤트는, 왜 못 끄는 걸까?"

"역시 그런 생각을 하고 있었던 거냐!"

쓸데없는 부분에서 이심전심이네 정말로!

"그치만 이벤트 스킵이 없는 게임이라니 평범하게 생각하면 망겜이잖아. ESC 누르면 끌 수 있게 해달란 말이야."

"현실에 스킵 기능은 안 달려 있다고!"

어쩐지 톡톡 책상을 두들기고 있다 했어. 그건 키보드에 붙은 ESC키가 있는 곳이었구나!

너는 같은 반 아이들과의 대화 이벤트를 끄려던 거였냐!

"그보다 난 대체 어떻게 평범하게 JK[#1] 하고 있었지? 솔직히 기억이 잘 안 나는데, 일단 공략을 보고 처음부터 다시 해도 될까?"

"그렇게 『한동안 힐러 안 했으니까 처음에는 조금 실수할지도 몰라.』 같은 분위기로 말해본들 곤란한데."

애초에 너는 여고생이 본업이잖아!

아무리 서브캐를 많이 했다지만 메인캐 조작을 잊어버리지 말란 말이야!

#1 JK 여고생(女子高生, Joshi Kosei)의 약어.

"아, 아카네. 좋은 아침."

마침 옆을 지나가던 아키야마가 세가와에게 손을 흔들었다.

"안녕."

완전히 의욕이 바닥으로 떨어진 세가와를 본 아키야마가 의아했는지 고개를 갸웃했다.

"무슨 일 있어? 교실 안 들어가? 바람피워? 오랜만?"

"왜 마지막에는 나를 보며 말한 겁니까. 오랜만."

아코가 들었다간 또 방에 틀어박힐지도 모르니 그만둬 주십시오.

"딱히 나나코하곤 상관없잖아. 그냥 좀 볼일이 있어서 그래."

"오랜만에 만났으니까 같이 가자. 응?"

"시끄러워, 지뢰 서머너. 네 무땅을 산에다 버리고 나서 다시 오라고."

"게임 이야기?!"

아무런 맥락도 없이 폭언이 튀어나왔다?!

"그리고 내 무땅은 착한 아이인데! 왜 안 된다는 거야?!"

"그건 너무 폭주하잖아."

"니시무라까지 너무해!"

LA 안에서는 풋내기 서머너인 아키야마는 도망치듯이 교실로 들어가고 말았다.

아니, 이건 내 잘못이 아니다.

폭주해서 적을 마구 끌어들이는 펫을 데려오지 말란 말이야.

무땅 안 돼~)X 같은 소리나 하고는.

결코 화풀이가 아닙니다.

"그건 그렇고, 아까 아키야마도 그랬지만 넌 나랑 달리 친구가 많으니까 즐겁게 대화를 나누라고."

"그야 나도 평소 같았으면 즐겁게 대화했을 거야."

세가와가 짜증을 내며 고개를 내저었다.

"하지만 여름 방학 끝나고 첫날은 말이지, 모두 똑같은 소리밖에 안 한다고. 요컨대 『나는 여름 방학을 이렇게 보람차게 보냈습니다.』라는 자기 자랑이란 말이야. 마지막이 뻔히 보이는 이야기는 이제 질렸어."

"그야 귀찮을지도 모르겠지만."

"뭐랄까, 『행방불명된 셀린을 찾아줘!』라는 퀘스트를 받았더니 퀘스트 목표가 『셀린의 유품을 입수』였던 때 정도로 내용에 흥미를 못 가지겠어."

"퀘스트 받은 시점에서 이미 내용이 드러났잖아!"

"아~ 그래그래, 셀린 죽었어, 셀린 죽었어."

"그만둬! NPC는 아직 희망을 버리지 않았단 말이야!"

너무 자주 있는 일이라 가슴이 아파!

"그냥 엔터키 연타해서 넘기고 싶어. CTRL키 꾹 눌러서 대화 스킵하고 싶어."

"읽지 않은 대화는 스킵 못 해. 포기하라고."

세가와가 오랜 폐인 생활 탓에 완전히 글러먹은 아이가 되고 말았다.

이 녀석은 이제 못 쓰겠다.

"아코는 안 왔어? 적어도 아코를 골려주면서 치유받고 싶은데."

"내 신부한테 심한 짓을 하는 건 그만둬 주실까."

가뜩이나 멘탈 약하단 말이야.

"그러고 보니, 여러 일도 있었고, 니시무라랑 아코는 여름방학 중에도 그럭저럭 만났지?"

"뭐, 만나지 않았다고는 할 수 없지."

드문드문 만나긴 했다.

빈번하진 않지만, 가끔 만났지. 가끔.

"짜증 나네. 둘이서 뭘 했는데?"

넌 왜 그렇게 싫어하면서도 물어보는 거냐.

짜증 나면 안 물어보면 되잖아.

애초에 들어봤자 재미있는 일은 아무것도 없었다고.

"아니…… 만나도 둘이서 계속 온라인 게임만 했는데."

딱 한 번은 제대로 데이트를 했다.

그때도 행선지는 인터넷 카페였지만.

"넌 정말 좀 차여라."

"그만둬, 무서운 소리 하지 마!"

그 한마디는 아직도 트라우마란 말이야!

그게 아니라고. 나도 이번 여름에는 아코랑 뭔가 하고 싶었어.

근데 말이야, 생각 좀 해봐.

계정 해킹을 당하고 장비를 잃어버린 나는 그걸 복구하는 게 급선무였단 말이야. 그 상황에서 가장 중요한 건 게임이었다고.

"외출하는 것도 귀찮은데 그냥 집에서 온라인 게임이나 하지 않을래요? 라는 소리가 나오면 하긴, 바깥은 덥기도 하니 딱히 상관없나~, 같은 식으로 되잖아!"

"역시 너희들 사귀는 거 아니지? 중년 부부도 아니고."

"그만둬!"

그것도 트라우마라고! 현재진행형으로 곤란하단 말이야!

그치만 어쩔 수 없잖아. 나는 같은 반 친구들이 놀러 가자고 꼬셔도 온라인 게임 할 시간이 줄어드는 게 싫다며 거절하는 그런 놈이란 말이야.

그런 나랑 아코가 모이면, 역시 나가는 것보다 게임하자는 흐름이 된단 말이지.

괜찮아. 함께 집에서 온라인 게임만 했다지만, 나랑 아코는 여름 방학 중에도 가끔씩 만났으니까. 현실에서도 만나고 싶다는 마음이 들게 만들었다는 시점에서 나치고는 꽤 노력했다고.

솔직히 상당한 진보라고 생각해. 응.

"……근데 그러고 보니 확실히 아코가 안 오네. 안 와도 되긴 하지만."

자기 반에 있기가 거북하다고 매일 아침마다 내가 있는 곳에 올 필요는 없다. 하지만 솔직히 말해서, 정말로 오지 않으면 왠지 불안해진다.

이제 곧 예비 종이 울리는데 괜찮을까. 그런 생각에 전화를 보고 있던 중, 갑자기 착신이 들어왔다.

"호랑이도 제 말 하면 온다고, 아코한테서 전화가 왔네."

"애 첫날부터 쉰다고 하진 않겠지?"

그건 후일을 생각하면 만류하고 싶다. 단지 정말로 몸이 안 좋아서 결석한다면 걱정이다.

만약 감기 같은 거라면 빨리 돌아가서 병문안을— 같은 생각을 하면서 전화를 받았다.

"여보세요. 아코?"

『루시안? 좋은 아침이에요.』

어라? 목소리가 기운찬데? 몸이 안 좋다는 느낌이 아니다.

"완전 건강해 보이지 않아?"

야, 세가와. 엿듣기는 좋지 않아

하지만, 그러면 대체 무슨 일일까. 학교에 오기는 한 건가?

"저기, 아코. 학교에는 안 오는 거냐?"

『그런데 루시안. 왜 다들 로그인하지 않는 건가요?』

———.

"뭐?"

"엥?"

『네?』

나와 세가와와 아코의 목소리가 겹쳤다.

으, 으응?

로그인이라니. 그야 오늘은 등교일이니까, 로그인하고 싶어도 할 수 있을 리가 없는데.

『저기, 로그인을 해도 아무도 없어서, 오늘은 부활동이 없나 싶어서 물었던 건데요.』

"…………진심이냐."

내 신부는 진짜로 놓친 걸지도 모른다.

"어, 어쩌지. 세가와."

"네 신부잖아. 네가 어떻게든 하라고."

그렇지? 내가 어떻게든 할 수밖에 없겠지?

쏟아질 것 같은 눈물을 꾹 참고, 천천히 말을 이었다.

"로그인이고 자시고 아코…… 오늘이 무슨 날인지 알아?"

『우우, 그런 싫은 소리는 하지 말아주세요. 이제 곧 학교가 시작되는 건 알고 있으니까요.』

이제 곧이 아니라.

"오늘이 9월 1일이다만."

『……네?』

전화 너머에서 뒤적뒤적 뭔가를 찾는 소리가 들렸다.

잠시 뒤.

『……이, 이건 거딩마리야!』

"일단 진정해. 냉정해지자."

『어째서, 어째서 전날에 말해주지 않은 건가요!』

"이제 학교 가야 한다고 실컷 말했잖아."

이제 학교 가야 하네~, 나른하네~ 라면서 떠들썩했잖아.

『이제 조금만 있으면 학교에 가야 한다는 의미라고 생각했단 말이에요!』

아니거든. 내일부터 학교에 가야 한다는 의미로 말한 거거든.

"애초에 뭘 어떻게 하면 새 학기 첫날을 잊어버리는데."

『달력 같은 건 안 보니까, 하루하루의 감각도 요일 감각도 사라져서요.』

어째서 이렇게 된 걸까.

『하아…… 이제 다 틀렸으니 포기하고 다시 잘래요.』

"그런 결론이 되는 건 이상하잖아."

그 마음은 아플 정도로 잘 알겠지만, 이렇게 짧은 날을 놓치면 출석 일수가 뼈아프다고.

"지각해도 좋으니까 일단 오는 게 어때."

『지각할 정도라면 그냥 쉬는 게 낫잖아요.』

"개인적으로는 첫날에 쉬면 다음 날부터 오는 게 괜히 더 괴로워질 것 같은데."

새 학기 첫날을 쉬고 이틀째부터 합류하면, 혼자 원정 나온 기분이 들어서 나라도 무서울 것 같다.

그렇게 되면 아코는 좀 더 무서워하지 않을까.

"기다릴 테니까, 빨리 와. 나도 아코를 만나고 싶어."

『우우우…… 알겠어요. 노력해서 갈게요.』

"조심해서 와라."

나 참, 하고 탄식하며 전화를 끊자 세가와가 어두침침한 눈동자로 말했다.

"……나도 돌아갈까."

"그만두라고 했잖아."

썩은 동태 눈깔을 한 세가와에게 고개를 내젓자 마침 그때 수업 종이 울렸다.

언제나처럼 체육관에서 시작된 시업식은 역시 귀찮았고, 당연하게도 졸음이 쏟아졌다.

교장 선생님, 학생 지도, 각 학년 주임들이 구구절절 말을 이어갔고, 시계를 보자 우리는 이미 상당한 시간을 이곳에서 보내고 있었다.

슬슬 잘까 생각하던 무렵 어디서 많이 들어본 이름이 들려왔다.

『다음으로 학생회장의 인사입니다. 회장인 고쇼인 양.』

마스터다. 그러고 보니 저 사람 학생회장이었지.

당당히 단상에 선 마스터는 늘어진 표정으로 자신을 바라보는 학생들을 슬쩍 훑어보고는 매우 진지한 표정으로 입을 열었다.

『좋은 아침이다. 여러분. 회장인 고쇼인이다.』

전에도 비슷한 소리를 했던 것 같은데.

그때는 눈치채지 못했지만, 옆 반이었던 아코랑 나란히 서 있었다.

살짝 봤지만, 지각한 아코는 당연히 없었다.

『다들 긴 여름 방학을 어떻게 보냈나? 아마 의미 있는, 추억에 남을 시간을 보냈을 거라 생각한다.』

그 사이에도 마스터의 말은 이어졌다.

역시 전교 조례에서 장난을 칠 생각은 없는 모양이다. 제대로 평범한 인사를 하는 것 같다.

『물론 나도 그렇다. 이번 여름 방학은, 모두와 마찬가지로 매우 의미 있는—.』

그때 갑자기 마스터의 말문이 막혔다.

어찌 된 영문인가 싶어 상태를 보자, 어쩐지 움찔움찔 뺨을 실룩거리고 있었다.

아, 저 얼굴은, 냉정하게 생각해보니 이번 여름 방학은 과연 일반적으로 봐서 의미 있는 시간을 보냈던 걸까? 라는 의문이 솟아난 얼굴이네.

『의, 의미 있고, 보람차고……』

마스터는 매우 복잡한 표정을 하고 말문이 막혀 있었다.

응. 그 마음 잘 안다.

그야 그렇지. 현대통신전자 유희부의 활동이다! 라고 해 놓고선 매일매일 LA 안에 모여서 게임만 했으니까.

『보람차고, 가치 있는, 시간을……』

괴로워하는 마스터를 보니 같은 여름 방학을 보낸 나도 괴로운 심정이 들었다.

좀 더 그러니까, 바다나 강이나 산이나, 수영장이나 축제나 불꽃놀이 같은, 이런 리얼충의 여름을 보내야 했던 것 같은 기분이—.

"지, 지각했습니다!"

그런 소리가 살며시 들렸다.

조금 화를 내는 선생님의 목소리와 누군가가 꾸벅꾸벅 고개를 숙이는 기척.

그리고 옆줄이 살짝 열리고, 그 사이를 비집고 들어온 소녀 한 명.

맞이하는 반 아이들의 모습이 호의적이었던 것에 조금 안심했다.

"우우우, 루시안."

허둥지둥 찾아온 아코가 나를 올려다보며 말했다.

"좋은 아침. 노력해서 왔네."

울상을 지으며 부스스한 머리카락을 누르는 아코의 머리를 토닥토닥 어루만졌다.

잘했어. 기왕 이렇게 됐으니 쉬자, 라는 욕구를 잘 물리쳤어.

단상으로 시선을 돌리자, 조금 재미있는 표정으로 이쪽을 바라보던 마스터와 눈이 마주쳤다.

『……그래, 우리는 매우 좋은 여름 방학을 보냈다.』

마스터는 훗 하고 웃으며 그렇게 말을 이었다.

『그렇게 보냈기에, 우리는 오늘부터 시작되는 2학기에 한층 도약할 수 있을 것이다. 나는 그것에 확신을 가지는 것과 동시에, 그 성과에 큰 기대를 갖고 있다. 긴 2학기의 시작이다. 함께 노력하고, 즐기며, 좋은 시간을 보내자. 이상이다.』

긴 여름 방학이 끝나고, 긴 시업식이 끝나고, 또다시 긴 2학기가 시작됐다.

††† ††† †††

첫날부터 수업이 있을 리가 없고, 사이토 선생님의 고마우신 말씀 — 다들 오랜만~, 이란 한 마디 — 과 함께 적당히 HR이 끝났다.

그 후에는 이번 학기 첫 부활동의 시간이다.

평소 멤버들이 모이긴 했지만, 매일 만나고 있으므로 이건 이것대로 일상의 연장이란 느낌이다.

"아아, 만나고 싶었어. 나의 워 머신!"

"슈는 왜 컴퓨터를 끌어안고 있나요?"

"자기 집 컴퓨터가 구려서 그래. 이해해주자고."

고난이도 던전에 가기 전에 혼자 부실로 갈까 조금 고민할 정도였으니까, 이 녀석.

"아, 얘 들고 돌아가고 싶어. 진짜 갖고 가고 싶어."

"네 컴퓨터 아니거든."

"얘는 내 딸이야!"

딸한테 워 머신이라는 이름을 붙이지 말라고.

"딸……."

"아코 넌 그 단어에 반응하는 거냐?!"

게다가 왜 내 안색을 살피는데?!

"아무튼, 여름 동안에는 꽤나 자금 효율을 중시해서 돈이 쌓이는 사냥터를 돌았는데."

세가와가 모니터를 쿡쿡 찔렀다.

"사라진 네 장비는 얼마나 맞췄어?"

"음, 그게 말이지."

필요 장비 일람과 위키를 보면…… 으음.

"예전의 2할, 정도?"

"앞길이 막막하잖아⋯⋯."

그런 소리를 해도 말이지, 전부는 아니더라도 3년간 모아 온 장비였단 말이야.

내 『루시안』은 복구됐지만 빼앗긴 아이템은 돌려받지 못 했고, 창고에서 도둑맞은 산더미 같은 아이템도 그대로라고.

그 사기꾼이 나한테 팔려고 한 게임 머니도 받기 전에 강 제 반송됐고— 그딴 돈은 가져도 안 쓰겠지만.

"저기, 저기요."

아코가 저요 저요 라며 손을 들었다.

"아코의 발언을 인정합니다."

어째서인지 세가와의 허가를 받아서 일어난 아코가 말했 다.

"실은 말이죠. 이래 봬도 저, 루시안에 대해서라면 꽤 유 심히 보고 있어요."

"알고 있어. 그보다 네가 니시무라 말고 어디를 본다는 거 야."

딱 잘라 말하니 쑥스럽네.

"그래서 깨달은 건데요. 루시안."

"뭔데?"

"어차피 장비를 다시 맞춘다는 명목으로, 전에 있던 것보 다 좀 더 좋은 걸로 마련하고 있지 않나요?"

———.

내 표정이 빠직 굳어졌다, 고 생각한다.

"뭐? 너 그런 짓 하고 있었어?"

"너처럼 눈치 빠른 신부는 정말 싫어."

설마 아코한테 들킬 거라고는 상상도 못 했다.

꽤 하는데. 아코, 너를 너무 얕보고 있었어.

"야, 니시무라……."

그리고 세가와가 무시무시한 눈초리로 나를 노려보고 있었다!

"잠깐 잠깐, 아니야. 그게 아니라고! 장비를 만든 뒤에 후회한 적도 있잖아!? 이 인챈트를 이렇게 바꿨다면 좋았을걸, 이라든가. 이쪽 디자인으로 할 걸 그랬어, 라든가. 그런 마이너 체인지 정도의 이야기고, 딱히 비싼 걸 사고 있는 건—"

"됐으니까 빨리 다시 맞춰서 도움이 되란 말이야."

"네……."

어차피 이 장비를 살 바에는 좀 더 모아서 이걸 사는 편이 오래 쓸 수 있다거나, 그런 생각 들잖아.

그것뿐이라고. 정말로.

그야 하위 호환 장비라도 좋으니까 바로 맞췄다면 좀 더 빨랐을지도 모르지만, 그럼 분하잖아.

최종 장비를 쓸 수 있는데 굳이 다시 사는 걸 전제로 장비를 사다니 말이야.

"이상하다 싶었어. 나는 배틀 마스터 인첸트를 두 개 살 수 있을 정도로 돈을 모았는데, 네가 장비를 아직도 못 맞췄다는 게."

"오, 모은 거냐?"

"드디어 모았지! 나의 슈바인은 신의 영역에 이를 거야!"

화력이 오를 뿐이잖아. 그 인첸트.

"저도 돈이 쌓였으니까 귀여운 장비를 사려고 가게를 둘러봤어요."

"너는 부탁이니까 회복력만 올려줘. 이거 봐, 로자리오 링 같은 거 팔고 있잖아."

겉모습만 귀여우면 어쩌자는 거야.

"내가 늦었군. 다들 모여 있나?"

"기다렸지~."

마스터와 사이토 선생님이 뒤늦게 부실로 찾아왔다.

겨우 부활동 개시다.

"그럼 오늘은 첫날이니까 미팅이네."

화이트보드 앞에 선 선생님이 싱글벙글 웃으며 말했다.

선생님의 미소와는 반대로 우리의 표정은 조금 어두웠다.

"미팅은 상관없지만…… 고양이공주 선생님이 앞에 섰을 때는 뭔가 불길한 예감밖에 안 든다니까."

"그건 실례 아니니? 어엿한 고문의 일이란다."

"선생님이 고문으로서 뭔가를 한다는 건, 역시 좋지 않은 일 같은데요……."

"타마키 너까지 그런 소리니?"

선생님이 조금 시무룩해졌다.

죄송합니다. 저도 같은 의견입니다.

"오히려 좋은 이야기인데? 다들 2학기라면 처음으로 뭘 상상하니?"

2학기의 이벤트라면…….

"여름 방학 이벤트 보상이 나오는 게 기대되네. 열심히 했으니까."

내가 그렇게 말하자.

"핼러윈 이벤트에서 호박파이 모아야지."

세가와가 이렇게 말하고.

"가을 대규모 업데이트를 대비해서 시장 조사를 하겠습니다."

마스터가 말을 잇고.

"루시안과 크리스마스 이벤트를 할 거예요!"

아코가 마무리 짓고.

"그게 아니다냐아아아아!"

고양이공주 씨가 울었다!

"2학기! 2학기라고! 연말까지 할 게임 예정을 물은 게 아니야! 학교 이야기라고!"

선생님은 화이트보드를 탁탁 치는 찌익찌익 뭔가를 쓰

기 시작했다.

그곳에는 『체육제』『문화제』라는 두 글자가 적혔다.

아, 아아. 이벤트는 그쪽이었나.

이벤트라는 소리를 들으면 자동적으로 온라인 게임 쪽으로 변환되니 말이지. 현실 쪽이라고는 생각을 못 했어. 응.

"2학기 2대 이벤트라면 이거잖니!"

"아~, 있었죠. 그런 게."

"역시 좋지 않은 이야기였네."

"그러네요."

"너희들 정말로 고등학생……?"

진심으로 싫어하는 1학년 세 명을 보고 선생님이 맥없이 어깨를 떨궜다.

"성가신 일이긴 하지만, 그렇다고 무시할 수도 없다."

"성가신 일이 아니잖니? 즐겁고 즐거운 이벤트인데?!"

"성가신 일입니다."

마스터가 딱 잘라 단언하자 고양이공주 씨의 아군은 사라졌다.

이런 건 거짓말이다냐, 같은 표정의 선생님이 조금 딱했다.

"이 체육제와 문화제 말이다만, 이건 학생의 이벤트인 것과 동시에 부활동의 이벤트이기도 하다. 원칙적으로는 각 부활동의 자주적인 협력, 참가로 되어 있지만, 말하자면 모든 부활동은 최소한 어느 한쪽에는 참가해야 한다는 이야기다."

평소의 성과를 발휘하여, 같은 소리인가.

자주 있기야 하지. 이런 거.

"체육제에서는 운동부가 힘내고, 문화제에서는 문화부가 이런저런 것들을 하는 거 아니야."

"그렇지. 우리 부도 부활동인 이상 어느 한쪽에 참가해야만 한다."

진짜냐. 완전 귀찮은데.

"저기 저기, 어느 쪽이라고 해도 결국은 문화제밖에 없지 않나요?"

아코가 그렇게 묻자 마스터는 씨익 웃으며 말했다.

"그렇지도 않다만? 예를 들어 우리 학교 요리부는 문화제에서 다른 판매점의 수입이 줄어드는 것을 막기 위해 출품을 못 한다. 그래서 체육제의 부활동 대항 이어달리기에 에이프런 장비로 출장하는 것이 전통이 되어 있지."

"부활동 대항 이어달리기 같은 게 있었구나."

"매년 단골이지. 그러니 문화제를 회피하고 체육제에서 이어달리기에 나가는 것도 문제는 없다. 코스프레라도 하면 좋지 않을까?"

현대통신전자 유희부, 게임 코스프레를 하고 부활동 대항 이어달리기에 출전— 우와, 상상한 것만으로도 식은땀이 흐른다.

"시, 싫어! 죽어도 싫어! 차라리 그냥 나를 죽여!"

세가와가 새파래져서 고개를 내저었다.

아~, 나랑 같은 생각을 했구만. 이 녀석.

그야 그렇지. 코스프레를 하고 이어달리기에 나갔다간 숨은 오타쿠니 뭐니 그런 걸 따질 상황이 아니게 된다.

"아코 군은 어떤가?"

이야기가 자기에게 돌아가자 아코는 굉장히 무서운 눈초리로, 괜히 기합이 들어간 포즈를 취했다.

"거절할게요!"

거절했다!

신기하게도 진심으로 싫어하고 있어!

저게 진심으로 싫어하는 포즈라는 게 이상하지만!

"어라, 아코는 코스프레 같은 거 좋아한다고 생각했는데."

"코스프레나 그런 문제가 아니에요! 이어달리기가 싫은 거라고요! 이어달리기가!"

아코는 포즈를 풀고 주먹을 움켜쥐었다.

수상쩍은 오라가 넘실넘실 피어오르고 있었다.

왜, 왠지 무서워!

"잊을 수도 없어요. 중학교 체육제에서 치러진 반 대항 이어달리기! 쓸데없이 선두로 배턴을 넘겨받은 저는 도중에 넘어졌고, 버둥거리던 사이 다른 모든 사람한테 추월당했어요! 그때 조용해진 우리 반 자리, 저한테 쏟아지는 차가운 시선! 지금도 잊을 수가 없어요!"

"무셔!"

"이어달리기에서 넘어지는 건 조금 버겁지."

"그건 트라우마가 될 만하군."

그 분위기를 상상하는 것만으로도 오싹해진다.

"애초에 말이죠. 대체 뭔가요, 전원이 참가하는 이어달리기에서 순서를 정하다니! 어차피 대부분 초보니까 모두의 기록을 계산하면 결과를 알 수 있단 말이에요! 그걸 일부러 상담해서 바꾸고 또 바꾸다니, 뭐하는 짓인가요!"

"수, 순서에 따라 여러모로 다르다던데."

"다르지 않아요!"

아코가 우와아앙 하고 울부짖었다.

"기록이 느린 순서대로 하면 모두 좋은 승부를 벌여서 아무도 부끄럽지 않은 채 끝날 텐데, 그게 싫은 거겠죠! 운동부 사람이 운동치들을 모두 추월하는 멋있는 장면을 연출하고 싶을 테니까요! 우리를 발판으로 삼아서 참 만족스럽겠네요!"

조금 이해가 가는 게 싫다!

재수 없는 표정으로 나를 추월하는 육상부의 얼굴이 떠오르잖아!

"어어, 그게, 괜찮단다. 타마키. 마에가사키 고등학교 체육제에 반 대항 이어달리기는 없으니까."

선생님이 조금 기겁하면서 말했다.

"오, 없다고 하는데. 잘됐네. 아코."

"우우…… 그럼 그 대신 뭐가 있는 건가요."

"올해는 반 대항 단체 줄넘기야."

선생님이 그렇게 말하자 아코는 또다시 울부짖었다.

"더 나쁘잖아요!"

에에에에에에엑?!

"어째서?! 단체 줄넘기는 안 돼?!"

"생각 좀 해보세요. 단체 줄넘기가 어떤 경기인지!"

"어떤 경기냐니…… 줄을 넘기만 하면 되잖아?"

세가와가 조심조심 말하자 아코가 달려들었다.

"넘기만 하면 된다니 말도 안 돼요! 그건 누구 한 명이 실패해서 전원의 책임을 떠안을 때까지 끝없이 줄을 돌리는 지옥의 경기라고요! 역적이 정해질 때까지 끝내주지 않는다니, 그 경기를 생각한 사람은 분명 성격이 더러울 거예요!"

화, 확실히 누구 한 명의 실패가 모든 패인이 되는 경기일지도 모른다.

"그렇게 말할 수도 있기는 하지만……."

"게다가 필사적으로 넘어서 어떻게든 역적에서 벗어나도 『타마키가 뒤로 자꾸 물러나서 제대로 못 뛰었어~.』 같은 소리를 해서 제가 악역이 됐다고요! 못 해먹겠어요!"

"네 인생 정말 장렬하네!"

애수마저 감돈다.

가능하다면 내가 이 녀석을 행복하게 해줘야 하는 걸까.

"괜찮다니까. 이번에는 그렇게 되지 않을 거야. 아마도."

"맞아. 분명 책임을 떠맡지는 않을 거야."

"음. 예년에는 큰 문제가 일어나지 않았다. 올해도 필시 문제없을 거다."

그렇게 말하면서 전원이 아코에게서 눈을 돌렸다.

"아마도라든가 분명이라든가 필시라든가, 발언에 자신감이 없어 보이잖아요!"

"그치만, 말이지……."

그 체육제 특유의 『너희들 왜 그렇게 진지하냐.』라는 분위기 속에서, 둔해빠진 아코가 질책을 들을 가능성은 결코 부정할 수가 없으니까.

"근데 아코, 그럼 왜 LA에서는 힐러 같은 걸 하는 거야? 힐러는 파티가 괴멸할 때 책임을 떠안는 빈도 넘버원 아니야?"

문득 세가와가 묻자 아코는 아뇨 아뇨 라며 고개를 내저으면서 말했다.

"그건 그렇지만 말이죠, 설령 파티가 괴멸했어도 『탱커의 장비가 나쁘다』고 시치미 떼면 어떻게든 넘어갈 수 있잖아요."

"내 탓이냐?!"

이쪽에 책임을 떠밀면 된다는 생각으로 힐러를 하고 있었던 거냐. 아코?!

"그, 그런 게 아니라요. 보세요. 제 실수는 루시안의 실수, 루시안의 실수는 루시안의 실수. 같은! 부부 일심동체라는 느낌으로!"

"내가 일방적으로 손해잖아! 일심동체라고 말할 수 없어! 그건 총알받이라고 하는 거야!"

이 녀석 정말 나 좋아하는 거 맞아?!

왠지 다른 의미로 불안해졌어!

"그러니까 저는 이제 개인에게 책임을 묻지 않는 경기 말고는 나가지 않기로 결심했어요."

"으, 응. 마음은 알겠는데."

아코 정도의 극단적인 마음은 아니지만, 나도 실패했을 때 백안시당하는 경기는 싫다.

그런 건 체육에 자신 있는 사람이 나가면 된다고 생각해.

"제가 노리는 경기는 바구니에 공 넣기예요. 그 공만 던지면 되는 느낌, 최고예요."

"철저하네⋯⋯."

세가와가 조금 질색하며 말했다.

"참고로 그런 세가와 너는 뭐 노리는데?"

"빌린 물건 경주인데."

"완전히 운빨 게임이잖아."

그것참 아무도 불평 못 하는 게임을 골랐구만.

"그러는 너는 뭐 나가고 싶은데?"

"나는 줄다리기야. 줄다리기."

개인의 책임을 묻지 않는 경기의 대명사라고 생각한다.

남자라면 누구나 노리는 넘버원 경기잖아, 줄다리기. 우리의 위안은 줄다리기다.

"너도 잘 아네. 니시무라."

"역시 루시안도 동료였어요."

"참고로 나는 학생회장 일로 바빠서 경기에는 나가지 않는다."

"앗, 마스터 치사해!"

"핫핫핫, 권력은 이렇게 쓰는 거다."

"너희들은 참…… 자기 역량을 시험해보고 싶다거나, 그런 생각은 안 드니?"

선생님이 포기 무드로 한 그 말에 우리는 얼굴을 마주 봤다.

"게임 속이라면 몰라도 현실에서 그런 적은 없네요."

"사망 페널티를 감수하고 보스한테 무한 닥돌하는 그런 무모한 도전은 싫으니까."

"자기를 조작하는 건 서툴러서요~."

"…………그렇구나."

어째서인지 고양이공주 씨가 가장 많은 대미지를 받고 있었다.

"뭐, 뭐 좋아. 어쨌든 체육제가 싫다면 문화제에 참가하는 걸로 결정이네. 문화제— 정식 명칭은 『기교제(崎校祭)』인데, 여기서 반드시 뭔가를 해야 해."

체육제 글자가 사라지고, 기교제라는 커다란 글자가 적혔다.

"그렇다곤 해도, 뭘 하지?"

"올해의 성과를 보여준다는 게 기본이 되겠지."

"성과…… 뭐 있었나요?"

"아코가 학교에 왔지."

"그거네."

이것밖에 없구만.

우리의 최대 성과는 틀림없이 여기 있는 문제다.

"저를 전시하는 건가요?!"

"전시물에 손을 대지 말아주세요~, 같은 거 할래?"

"구경거리 아니거든요! 신상 털리는 건 싫어요! 신상 털기 무서워요!"

신상 털기라는 단어를 과민할 정도로 무서워하는 게 역시 온라인 게임 플레이어다.

"농담은 제쳐놓고. 역시 온라인 게임부니까 온라인 게임 관련으로 뭔가 성과를 올려서 전시해야겠네."

"음. 연구 성과든, 실적의 결과든 종류는 상관없다."

성과, 성과라…….

그렇게 물으면 곤란하다. 딱히 결과를 바라고 온라인 게임을 하는 건 아니니까.

오히려 즐겁고 쓸데없이 시간을 낭비하는 것이 온라인 게임의 묘미이기도 하잖아.

"저랑 루시안의 결혼식 영상을 전시하는 건 어떨까요?"

"아코 너, 머릿속이 카스텔라로 들어찬 거 아니야?"

어디서 그런 발상이 떠오른 거야.

그런 걸 전시해서 어쩌자고. 어색한 미소와 함께 축하한다는 소리나 들을 거야.

"제가 게임 속에서 얻은 최대 성과가 루시안인데요……."

저기, 진심으로 아쉽다는 듯이 말하지 말아주실래요?

"아니, 그런 건 타인에게 자랑하는 게 아니라고."

"저는 자랑하고 싶은 마음으로 가득한데요?"

진지한 톤으로 그렇게 말해봐야 난 곤란해.

문화제 전시에서 애가 내 신부라고요! 라며 어필할 배짱은 역시 없습니다.

"불순 이성 교제를 전시해도 곤란하단다."

"불순하지 않아요! 불순하지 않으니까 곤란한 거잖아요!"

"곤란하지는 않은 거 아니야?!"

"리얼충은 내버려 두고. 어쨌든 아무거나 전시하면 되잖아. 온라인 게임 역사 패널이라도 전시하면 되지 않을까?"

세가와가 컴퓨터를 슬쩍 가리켰다.

음. 타당하기는 하지만.

"그걸 일부러 만들 거냐?"

"전시 발표라면 뭐든 상관없어. 내가 당일에 이 부실에 없어도 된다는 게 가장 중요하다고."

"……그렇군."

으음. 나는 게임 역사 같은 건 미묘하다고 생각하는데 말이지.

완성품을 보고 싶은 마음은 있지만, 여러 곳에서 태클이 나올 것 같다고나 할까, 정답이 없는 문제가 너무 많다고 할까.

"온라인 게임의 역사 같은 걸 진지하게 발표하려고 하면 엄청 수고가 드는 데다 굉장히 코어팬 지향의 전시가 될 거라 생각하는데."

모르는 사람은 모르고, 아는 사람은 불만을 갖는, 그런 아무도 좋아하지 않을 전시가 될 것 같다.

"애초에 어느 게임을 스타트 지점으로 삼느냐는 것부터 치고받는다고 하니까."

"그건 그러네. 으음. 성가신 장르야."

"즐기는 사람들의 성격이 성가시니까."

으으음 하고 머리를 굴렸다.

차라리 온라인 게임 체험 코너 같은 게 낫지 않을까 생각하던 그때—.

"아무도 의견이 없다면 내가 제안할 게 있다."

마스터가 그렇게 말하면서 펜을 들었다.

『기교제』의 문자 옆에 크게 적힌 글자는, 쓸데없이 달필로 쓰인 『공성전(攻城戰)』이라는 세 글자였다.

"공성전……?"

"공성전이라니, 요즘 추가된 대인전 말이야?"

"그거다!"

마스터는 꽤나 흥이 났는지 멋들어진 미소로 끄덕였다.

"당초 예정에서 한참 늦춰져서, 여름 대형 업데이트였는데 여름은 고사하고 가을이 다 되어가는 이 타이밍에 추가된 LA 대망의 대규모 대인전 요소, 공성전! 이것에서 승리하는 것을 성과로 삼는다는 건 어떨까?"

"아니, 대인전이라니. 잠깐, 마스터?"

어, 진짜로?

진심으로 하는 소리야?

"공성전은 그거잖아. 길드 대 길드의 대규모 전투잖아? 우리가 할 수 있어?"

"부원들이 모두 하나가 되어 도전하는 거다. 딱 맞지 않나. 운동부라면 단체전 같은 거다."

"그야 모두 함께 도전하긴 하지만……."

공성전이란 그 이름대로 성을 공격하는 것이다.

레전더리 에이지의 각 마을에 건설된 성 맵 안에서 플레이어끼리 싸워 그 성을 점령한 길드가 성의 영주가 된다.

플레이어 대 플레이어가 싸우게 되는, 그 이름대로 대인전 사양.

디포르메 스타일의 귀여운 게임인 레전더리 에이지에 드디어 추가된 대규모 대인전 요소라서 찬반양론은 있지만, 일단은 대성황이라는 이야기를 들었다.

그렇다. 이야기를 들은 정도다.

공성전은 추가된 이후 몇 번 정도 치러졌지만, 우리가 참가한 적은 한 번도 없다.

그도 그럴 것이, 대인전이라고 대인전. 네 명밖에 없는 초소규모 길드인 앨리 캣츠가 도전해봤자 손도 발도 못 내밀게 뻔하잖아.

"마스터. 그걸로 성을 점령하면, 문화제에서 그걸 발표하는 건가요?"

"좋은 질문이다. 아코 군."

좀 더 중요한 질문이 있다고 생각하는데.

"공성전은 일주일에 한 번 개최되고, 승자는 영주가 된다. 그리고 영주가 된 길드 엠블럼이 성에 크게 전시되는데— 거기서 우리가 승자가 되어 엠블럼을 걸어보자는 게 목표다."

마스터는 그렇게 말하며 품에서 꺼낸 수첩— 학생수첩을

들었다.

그 표면에는 우리 마에가사키 고등학교의 학교 마크가 두둥.

"저기…… 설마, 길드 엠블럼을 마에가사키 고등학교의 학교 마크로 하고, 그걸 성에 전시하자는 이야기야?"

"그렇다. 그야말로 『성과』라고 할 수 있겠지!"

마스터는 의기양양하게 씨익 웃으며 단언했다.

아니, 저기, 뭐냐…… 어디서부터 태클을 넣어야 할지 모르겠다.

힐끔 시선을 돌리자, 세가와가 척 손을 들었다.

"아무리 그래도 그건 좀 아니지 않아? 그냥 전부 글러먹었는데."

상식파 세가와의 사뿐한 반론!

구체적인 지적은 아무것도 없지만 어쨌든 힘내라, 세가와!

"그렇지만 문화제 당일은 스샷을 확대해서 인쇄한 물건을 전시하고, 잠가놓은 컴퓨터를 써서 성 앞에 캐릭터를 놔두기만 하면 된다만?"

"……그건 괜찮네."

약해, 너무 약하잖아. 세가와가 허망하게 패했다.

너 자기가 온라인 게임부라는 걸 들키지만 않으면 뭐든 좋은 거냐.

"전 대인전은 그다지 잘하질 못해서……."

온건파 아코의 반론!

"걱정하지 마라. 힐러의 일은 평소와 다름없다. 우리 뒤쪽에서 회복만 해주면 된다."

"그거라면 상관없지만요."

상관없지 않아!

젠장. 역시 아코는 못 미더워!

"그보다 근본적으로 무슨 짓을 한들 못 이기지 않을까?"

현실파인 나의 반론.

제대로 된 의견이라고 생각했건만 마스터는 어이없다는 듯이 웃었다.

"도전하기 전부터 포기하다니 용납 못 할 패배주의로군. 조금 전 게임 속에서라면 자기 역량을 시험해봐도 좋다고 말한 루시안은 어디로 갔지?"

"마음만은 있지만 말이야."

정신론을 주장해도 무리인 건 무리라고 생각한다.

하지만 말발로 마스터를 이길 것 같지는 않다. 그렇다면.

으음.

"……그럼 선생님. 패스."

최종 병기, 사이토 선생님.

아무리 그래도 고문이라면 이런 어이없는 전시를 인정할 수 없을 거라 생각해서 넘겨줬다.

이런 나의 희망 어린 시선을 받은 선생님은 한 번 고개를 끄덕이고는 말했다.

"괜찮지 않을까? 공성전."

"진심으로 하는 소리입니까?!"

최종 병기한테 등 뒤에서 얻어맞았다!

뭐야, 이 망겜은!

"그치만 게임 속에서 우리 학교 마크를 걸어보자는 계획이잖니? 그야말로 온라인 게임부라는 느낌이라 괜찮은 것 같은데."

"이런 기획이 과연 통과될까요?"

"이게 통과되지 않는다면 매년 초보자 강의밖에 하지 않는 바둑장기부가 먼저 야단을 맞을 것 같은데."

"그런가요……."

기교제, 의외로 느슨했다.

하지만 이거 난이도가 어마어마하게 높은데…….

"좋아. 고문의 허가는 나왔다. 부원들의 동의도 얻었지. 우리는 마에가사키 고등학교 문화제 『기교제』를 대비하여, 공성전에 승리해 성을 획득하는 것에 도전한다! 알겠나!"

오~! 라는, 약간 의욕 없는 목소리가 울려 퍼졌다.

††† ††† †††

오~! 라고 말은 했지만 새 학기 첫날부터 오랜 시간 부활동을 할 수는 없다.

나머지는 돌아가서 하기로 하고 집으로 향했다.

"이런 짧은 시간을 있으려고 일부러 등교하다니 굉장히 가성비가 나쁘네요."

"학교에 가나 안 가나를 가성비로 판단하는 건 그만두자."

이렇게 돌아가는 길을 아코와 함께 걷는 것도 일상이 되었다.

주변에는 다른 학생들도 있었지만 그다지 시선이 신경 쓰이지는 않았다. 때때로 닿는 아코의 손을 잡아볼까 하는, 그런 게 훨씬 신경 쓰인다.

"하지만 최소한의 노력으로 최대한의 성과를 얻는 게 퀘스트 공략의 기본이라고 루시안이 그랬잖아요."

"굉장히 오랜만에 말하는 것 같지만, 게임과 현실은 다르거든?"

"어떻게 효율적으로 출석해야 최대한 결석을 할 수 있을지 계산해서 말이죠."

"그만두라고 했잖아."

"으익으익."

꾸욱꾸욱 머리를 누르자 아코가 즐거워하며 목을 울렸다. 넌 무슨 고양이냐.

그건 그렇고, 여름 방학이 끝나고 일상으로 돌아와 보니 정말 아무것도 변하지 않아서 곤란하다. 아코의 호감도는 처음부터 상한선을 돌파했으니 그야 아무런 변함이 없는 것도 당연하긴 하지만.

"그치만 저, 노력하기 위해 필요한 스테이터스가 명백하게 부족하다고요. 스탯 분배를 잘못했으니까 스테이터스 재분배 이벤트를 기다리고 있어요."

"스테이터스 재분배를 하려고 했는데 포인트 자체가 부족해서 망하겠지."

"왠지 정말로 그럴 것 같으니까 그런 소리 하지 말아주세요!"

아코가 아우아우 울상을 지었다.

"루시안을 향한 애정에 다 쏟아부었으니까 남은 포인트가 적은 거잖아요."

"그렇다면 나는 운에 다 쏟아부은 건가."

그것만으로도 이미 다 써버린 것 같은데.

"그런 스테이터스에 자신 없는 저지만, 앞으로 성장할 거라 생각하니까 지금 구입해주세요. 요즘 유행하는 선행 구매예요. 알파판인 제가 싸게 손에 들어온다고요."

"알고 있어. 그거 베타조차 시작되지 않고 갱신이 멈춘 녀석이야."

요즘 그런 게임이 엄청 많아서 곤란해.

"저도 1학년에서 갱신이 멈췄어요. 어쩔 수 없다고요."

"제대로 정식판까지 노력해서 업데이트해줘."

이쪽은 굉장히 기대하고 있단 말이야.

그러고 보니―.

"학교 하니 생각난 건데, 아코네 반은 문화제 때 뭐 해? 전시 발표?"

"일단 그런 것 같은데……."

마에가사키 고등학교는 전통적으로 1학년이 전시 발표, 시간이 남는 2학년은 무대 발표, 수험으로 바쁜 3학년은 당일에 끝나는 판매점으로 구별된다고 한다.

우리 1학년은 강제적으로 『우리 마을 마에가사키』 같은 전시 발표를 하도록 되어 있었다.

"마에가사키 고등학교 주변 명산지를 조사한다는 콘셉트를 세우고, 학교 근처에 있는 맛집을 찾는다고 해요."

"오, 괜찮네. 문화제를 준비할 시간에 음식을 먹으며 돌아다닐 수 있잖아?"

"혼자 먹으면서 돌아다녀도 즐겁지 않아요!"

"왜 너는 혼자 가는 게 전제인데."

같은 반 남자랑 음식을 먹으며 걷는 아코의 모습은 상상하고 싶지도 않긴 하지만.

"그럼 그쪽은 제쳐놓고, 문제는 부활동 쪽이네."

최대의 현안 사항이다.

설마 LA에서 대인전을 벌일 거라곤 상상도 못 했다.

"대인전을 하는 건가요. 으음. 내키지 않아요."

"아코도 대인전은 좋아하지 않았었지."

"못 이기니까요."

아코가 하아, 하고 한숨을 내쉬었다.

"딱히 진다고 정해진 건 아닌데. 힐러도 대인전에선 은근히 강하거든."

게임에 따라서는 몇 분간 힐러가 버텨내면 승리 같은 특별 규칙이 있는 경우가 있으니까.

그런 경우에는 꽤 힐러의 승률이 높다.

"가끔 이긴다고 해도 그렇게 기쁘지도 않고, 그 이상으로 질 때가 싫어요. 화면 너머의 상대가 저를 깔보며 웃고 있는 것 같아서, 그게 너무 열 받아요."

"아, 그 마음 아주 잘 알지."

대인전에서 졌을 때 상대가 나를 깔보는 게 굉장히 짜증난단 말이지.

시체를 쏘거나 시체 위에 앉거나, 그런 것도 있고.

"……참고로 묻겠는데, FPS는 다른 거냐?"

"그건 죽지 않고도 이길 수 있으니까요."

"캠핑스나 짜증 나."

왜 이 녀석은 저격수만 잘하는 걸까.

"하지만 할 거라면 민폐를 끼치지 말아야겠죠. 연습할 테니까 루시안도 어울려주지 않을래요?"

"그건 상관없지만, 그렇게 진지하게 하지 않아도 될 걸?"

"……네? 평소였다면 연습해~ 라고 말할 것 같은데, 어째서인가요?"

"내가 아코한테 연습을 요구하던 건 내버려 두면 점점 못하게 돼서 그런 거니까."

어제 막 익혔던 걸 다음 날 바로 못 쓰게 되니까 문제다.

계속해서 다시 가르쳐주면 가끔 기억하는 게 있으니까 그걸 기대하는, 드롭 아이템에서 레어를 찾아내는 느낌으로 하고 있는 거였다고.

"이번에는 아무리 봐도 지는 싸움이니까. 고생하며 노력할 정도는 아니야."

"지는 싸움은 익숙하니까 괜찮아요."

익숙해지지 말았으면 좋겠는데.

"루시안이 그러면 분명 못 이기는 거겠지만…… 그래도 마스터라면 어떻게든 해주지 않을까요?"

"그 신뢰감은 무척 좋고 부정도 하지 않겠지만, 그래도 이번만은 마스터도 어쩔 수 없을 거야."

애석하게도 마스터는 아마 대인전을 얕보고 있는 것 같으니까.

좋은 의미든 나쁜 의미든 녹록지 않다고. 대(對) 플레이어전은.

그날 밤, 길드 앨리 캣츠가 모인 곳은 여느 때의 술집이 아니었다.

대리석으로 만들어진 원형 필드. 아레나 맵이다.

◆아코 : 저기, 조금 전부터 루시안을 때릴 수 있다는 표시가 나오고 있는데요.

◆루시안 : 아레나니까. 이곳은 플레이어끼리 싸울 수 있거든.

게임이 시작된 당초부터 존재했던 대인전용 맵이다.

그렇지만 이겨도 뭔가 떨어지는 건 없고, 단순히 실력을 시험하는 정도의 공간에 지나지 않는다.

공성전이 추가되기 전까지는 일부 대인전을 좋아하는 사람들이 드문드문 이용했다고 한다.

◆애플리코트 : 성을 쟁취하기로 결정하긴 했지만 우리는 대인전 초보. 여기서 길드 멤버끼리 전투를 연습해서 일단 감각을 익히려고 한다.

◆슈바인 : 요컨대 이 몸이 전부 때려눕히면 된다는 건가?ㅋ

슈바인은 의욕이 넘쳤다.

이쪽은 장비가 딸려서 제대로 할 수 없을 것 같건만. 나 참.

◆애플리코트 : 처음은 연습이다. 그렇지. 루시안과 아코가 승부를 해봐라.

◆아코 : 저, 저랑 루시안이요?!

◆루시안 : 에이~.

그건 조금― 아니, 상당히 안 내키는데.

◆슈바인 : 남편으로서 조금은 강한 모습을 보여주라고ㅋ

◆루시안 : 참 맘 편한 소리 한다.

별수 없이 몇 걸음 거리를 두고 아코와 마주 봤다.

지금부터 아코를 치라는 건가? 이 검으로?

몬스터와 함께 넉백시키거나, 장난으로 스킬을 날린 적은 있지만 진지하게 싸우게 되니 꽤나 압박감이 있는데?

◆애플리코트 : 그럼, 시작!

◆아코 : …….

◆루시안 : …….

조용히 서로를 노려봤다.

◆아코 : …….

◆루시안 : …….

노려본다기보다는 마주 보고 있다고 할까.

단순히 멍하니 서 있다고 할까.

◆슈바인 : 쓸데없이 『…….』 써서 긴박감 내지 말고 당장 싸워.

◆루시안 : 그치만 말이다, 슈바인.

◆아코 : 애정을 주체 못 해서 싸울 수가 없어요.

내키질 않는다고. 이유도 없는데 부부 싸움이라니 정말로 사양하고 싶다.

만약 나와 아코 사이에 응어리가 진다면 책임져 줄 거야?

◆애플리코트 : 그 감정은 당연하긴 하지만, 그것에 익숙해지는 것 또한 연습이다.

◆루시안 : 음. 그럼 이걸로.

별수 없이 아코에게 다가가서는 방패를 척 들고 방어 태세를 취했다.

아머 나이트의 반사 스킬 『리플렉트 대미지』가 발동. 내 방패가 번쩍번쩍 빛났다. 스킬 레벨에 따라 받은 대미지를 일정 비율로 상대에게 돌려주는 편리한 스킬로, 이걸 노려서 일부러 방어를 깎고 HP를 올리는 전략도 있다.

◆슈바인 : 야. 제대로 싸워.

◆루시안 : 아니거든? 내 화력으로는 아코를 원콤으로 쓰러뜨릴 수 없으니까 리플렉트 대미지로 반사해서 깎은 다음에 쓰러뜨릴 예정이거든?

◆슈바인 : 말은 잘 하네. 이 자식.

멋대로 해석하시지.

◆아코 : 그럼, 어어…… 저기…… 에잇!

뚜벅뚜벅 다가온 아코가 이얍 하고 지팡이를 휘둘렀다.

반짝☆ 하는 가벼운 소리와 함께 나와 아코의 HP 대미지가 조금 깎였다.

◆루시안 : 오, 조금 맞았네. 괜찮냐? 아코.

◆아코 : 네. 거의 깎이지 않았어요.

◆루시안 : 위험해지기 전해 회복해둬.

◆아코 : 네~에.

◆슈바인 : 싸우라고 했잖아아아아아아아아.

세가와가 폭발했다!

◆루시안 : 그런 소리를 해도 말이지.

◆아코 : 그렇죠?

현실과 게임을 구별하지 못하는 아코 입장에서 보면 이건 정말로 싸움을 시키는 거나 마찬가지니까, 나도 억지로 강요할 수가 없다고.

애초에 대인전을 하고 싶지 않은 녀석한테 억지로 싸우게 시키면 이렇게 된다니까.

반대로 푹 빠져서 돌아오지 못하게 되는 경우도 있지만.

◆슈바인 : 이 바보 부부는 내버려 두고 우리끼리 하자고. 승부다, 마스터!

◆애플리코트 : 호오. 나에게 도전하는 건가. 좋다, 슈바인. 상대해주마.

대검을 겨눈 슈바인과 지팡이를 들어 올린 마스터가 서로 마주 봤다.

처음부터 그쪽이 하라고.

◆애플리코트 : 카운트하마. 제로에서 스타트다.

◆슈바인 : 이 몸은 언제라도 상관없어.

아코와 함께 조금 떨어진 자리에서 두 사람을 지켜봤다.

우리랑 달리 의욕이 넘쳐나는 두 사람이 서로를 노려본다.

◆애플리코트 : 그럼── 쓰리.

◆애플리코트 : 투.

◆애플리코트 : 원.

긴장감이 높아진다. 팽팽히 조여든 분위기가 아레나 전체를 덮었다.

그리고 그 순간─.

◆아코 : 아, 그러고 보니 루시안. 내일은 뭘 먹고 싶나요?

◆애플리코트 : 제……로…….

◆슈바인 : …….

◆루시안 : 배가 든든해지는 게 좋은데.

◆아코 : 리퀘스트가 어려운데요. 말하자면 고기인가요?

◆루시안 : 그렇지. 고기다, 고기를 다오!

문득 돌아보니, 부부끼리의 대화 뒤에서 전투태세에 들어갔던 두 사람이 멈춰 있었다.

어, 혹시 방해됐나?

◆아코 : ……어라? 마스터? 슈?

◆루시안 : 개의치 말고 그냥 해도 되는데.

◆슈바인 : 되겠냐아아아아! 웃기지 말란 말이야!

큰일 났다. 칼날이 이리로 돌아왔어!

마스터에게서 내 쪽으로 돌아선 슈가 검을 거머쥐고 전진태세를 취했다.

저건 언제나 옆에서 보는 기술. 낯익은 단순 돌진 스킬.

사거리와 속도가 머릿속에서 멋대로 재생됐다.

지면을 미끄러지듯이 돌진하는 슈를 보며 어떻게 할까, 라고 생각한 건 한 순간이었다.

그만 무의식적으로 손이 움직여서 스킬이 발동.

반격 스킬인 실드 카운터를 슈의 돌진에 맞췄다.

◆슈바인 : 거짓말?!

깔끔하게 들어간 카운터가 슈바인의 검을 위쪽으로 튕겨 냈고, 그대로 연계 동작으로 실드 배시를 꽂아 넣었다.

방패로 머리를 얻어맞은 슈의 머리 위에서 병아리가 삐약 삐약 돌았다.

아, 스턴 들어갔네, 라는 생각을 하면서 역시 콤보를 이어 가기 위해 손을 움직였다.

◆아코 : 여기요.

아, 땡큐.

타이밍 좋게 아코에게서 버프 스킬이 날아왔다.

다음 일격에 한해 위력을 두 배로 올리는 엑스트라 대미 지가 콤보 사이에 끼어들었고, 스턴 중 대미지 증가로 인해 세 배로 대미지가 늘어난 방패 돌격 스킬, 오버드 실드가 슈의 HP를 70% 가까이 깎고 먼 후방으로 날려버렸다.

◆애플리코트 : 두 사람 다 꽤 하는구나. 원콤에 레드 게 이지로군.

◆슈바인 : 대체 뭐야?! 의욕도 없는 주제에 너희들 너무

센 거 아니야?

◆루시안 : 미안, 습관이 돼서.

◆아코 : 스턴 걸리면 ED를 쓰라는 건 루시안이 언제나 하는 말이라서요.

◆슈바인 : 그런 건 노력하지 않아도 돼!

미안. 정말 미안.

발을 동동 구르며 포션을 들이키는 슈에게 미안한 마음으로 가득했다.

아니 그게, 적이 돌진해 오면 이렇게 쓰러뜨린다, 같은 습관이 들었단 말이지. 결코 악의는 없었지만 무심코 저지르고 말았다.

◆루시안 : 스턴 기술은 강하지만 쿨타임이 기니까, 맞으면 반드시 콤보를 넣어야 한다는 강박 관념이 있어서.

◆슈바인 : 그런 강박 관념은 버려!

아니 아니, 중요한 거라고.

대인전에서도 스턴은 엄청 강하단 말이야. 받는 대미지가 올라가고, 움직일 수 없고, 무엇보다 비틀거리는 사이 회복 아이템을 쓸 수 없게 되니까.

◆슈바인 : 애초에 말이지, 그 타이밍에서 채팅을 하다니 너희들 진짜로 ※※※ 아니야? 귓속말로 하란 말이야 이 ※※※※※※!

금지 단어가 필터링되고 있으니까 진정해, 진정하라고.

◆애플리코트 : 어쨌든 다시 하자. 간다, 슈바인.

◆슈바인 : 그래 와라! 어서 와! 지금 당장 오라고!

자포자기한 것 같은 슈가 검을 들었고, 다시금 두 사람의 대전이 시작됐다.

◆애플리코트 : 보아라, 나의 대마법을! 울부짖어라 버스트 링! 떨어져라 미티어!

먼저 마스터가 움직였다.

타게팅한 지점에서 운석을 떨어뜨리는 미티어의 영창을 개시.

그것도 슈바인을 타게팅한 게 아니라, 자신을 중심으로 한 스킬 사용이다.

◆아코 : 이, 이건, 마스터의 필살기네요!

◆루시안 : 처음부터 큰 기술을 꺼냈구만!

마스터를 중심으로 육각형 마법진이 크게 빛났다.

이 마법진의 범위 안에 있는 모든 적에게 큰 대미지를 주는 것이 미티어 스킬이다.

즉, 마스터에게 다가가면 필연적으로 미티어의 범위 안으로 들어가게 된다.

마스터에게 쇄도하는 몬스터를 과금으로 끌어올린 방어력으로 막고, 마찬가지로 과금으로 끌어올린 화력으로 원킬한다. 그런 광경을 몇 번이나 봐왔다.

몬스터를 상대로 하면 패배를 모르는, 그야말로 필살기!

◆슈바인 : 어째서 이 몸이 그런 뻔히 보이는 스킬 안으로 들어가리라 생각하지?ㅋ

◆애플리코트 : 이럴 수가. 스킬 범위 안으로 들어오지 않는다고?! 몬스터는 그런 전략을 가지지 못할 텐데!

◆슈바인 : 이 몸이 몹의 AI랑 같은 레벨이라고 생각하는 거냐, 이 자식!

그야 그렇지. 마법진이 저렇게 뻔히 표시되면 범위 안으로 들어갈 리가 없지.

큰 대미지의 마법은 그만큼 영창도 길고, 간단히 피할 수 있단 말이야.

◆애플리코트 : 그러나 여기는 아직 내 거리다! 단발 스킬이라면 그리 간단히 피하진 못할 거다!

말하는 것과 동시에 영창을 중단한 마스터는 둔화 효과가 붙은 아이스볼트를 발동했다.

커다란 얼음 조각이 슈에게 날아갔다.

맞으면 강력한 둔화 디버프가 발동하는 빙속성 스킬이다.

근캐인 슈바인에게는 뼈아픈 일격이 된다.

만약 맞는다면, 이지만.

◆아코 : 아, 피했네요.

◆루시안 : 직사 스킬은 똑바로 날아가니까.

슈바인이 전방을 플래시 블링크, 단거리 텔레포트처럼 이동해서 아이스볼트를 피해 거리를 좁혀 단숨에 마스터에게 육박했다.

　◆애플리코트 : 잠까…….

　슈바인은 채팅을 기다려주지 않았고, 대답 대신 커다란 검을 들어 올렸다.

　깡! 깡! 까가가가강! 하는 슬픈 콤보 소리만이 울려 퍼진다.

　깡깡까앙! 하는 콤보 소리와 함께 마스터가 지면에 쓰러졌다.

　◆애플리코트 : 말도 안 돼…… 내가…….

　◆슈바인 : 이 몸의 힘을 잘 봤나!

　◆루시안 : 이렇게 될 것 같더라…….

　뻔히 보이는 결과였다.

　◆아코 : 어, 어쨌든 소생시킬게요!

　뿌와앙 하는 소리와 함께 부활한 마스터가 분해하며 신음했다.

　◆애플리코트 : 어째서냐. 화력도 방어력도 내가 뛰어날 텐데, 저항도 못 하고 죽었다. 지금 이건 꼼수 아니냐? 내 구역에서는 노 카운트다!

　◆루시안 : 아니 아니, 보통은 이렇게 된다고. 왜냐하면—.

　◆애플리코트 : 잠깐!

　척 손을 들어 내 채팅을 막은 마스터는 나를 향해 지팡이를 들었다.

　◆애플리코트 : 슈바인은 이기지 못했지만 루시안이라면!

승부다!

　◆루시안 : ……상관은 없는데.

아코랑 달리 때리는 것에 대한 저항은 적다.

꼭 하고 싶다면야 상관은 없다.

　◆애플리코트 : 간다! 자, 와라!

　◆루시안 : 그럼, 얍.

가진 스킬 중에서 가장 약하고, 가장 사거리가 길며, 쿨타임이 존재하지 않는 실드 부메랑을 골랐다.

방패를 휙 던져서 적에게 맞추고 방패가 돌아온다는, 물리 법칙을 완벽하게 무시한 스킬이다.

방패에 얻어맞은 마스터는 조금 뒤로 물러서며 가벼운 대미지를 받았다.

　◆애플리코트 : 흠. 그 정도의 대미지로 나는—.

슈욱, 슈욱, 슈욱, 논스톱으로 방패를 던졌다. 던졌다. 던졌다.

　◆애플리코트 : 잠깐…… 이상하다. 움직일 수가—.

슈욱슈욱슈욱슈욱슈욱.

　◆애플리코트 : 영창도 못, 스킬을 쓸 수가…… 이, 이대로 가면—.

슈욱슈욱슈욱슈욱슈욱슈욱슈욱슈욱슈욱슈욱.

　◆애플리코트 : 이, 이런 말도 안 되는 일이이이이이이이이!

티끌도 모이면 페인을 죽인다.

깡깡깡까앙 하고 콤보가 울리며, 마스터가 땅에 쓰러졌다.

◆애플리코트 : 이상해…… 어째서 못 이기지…….

◆루시안 : 황금의 쇳덩어리로 되어 있는 아머 나이트가 천 갑옷 직업한테 밀릴 리가 없잖아.

그것만이 문제인 건 아니지만.

◆애플리코트 : 으그그그극…… 그럼 아코!

◆아코 : 네?

◆애플리코트 : 나와 승부다!

◆아코 : 에에에에엑?!

이 인간, 부지런히 소생에 회복까지 해준 아코를 타깃으로 삼았어!

◆아코 : 무리 무리, 무리예요! 적어도 저한테는 루시안을 붙여주세요!

◆루시안 : 의외로 괜찮지 않을까?

◆아코 : 안 괜찮아요!

아니 아니, 할 수 있어. 아마 괜찮을 거야.

◆애플리코트 : 자아, 간다. 아코! 내 미티어를 버틸 수 있겠나!

◆아코 : 절대로 죽어요오오오오오.

진정해. 저 스킬 쓸데없이 영창이 길다니까.

◆루시안 : 일단 SS 쏴봐.

◆아코 : 어, 네, 네에! 스킬 실링!

다른 스킬명을 말하지 않아서 다행이군.

어쨌든 발동한 아코의 스킬이 마스터를 화악 감싸자 『······』이라는 침묵 마크가 머리 위에 떠올랐다.

◆루시안 : 아, 통했다! 그럼 이제 때리기만 하면 돼.

◆아코 : 네!

◆애플리코트 : 읍! 읍?!!

채팅조차 봉인된 마스터가 당황하는 가운데, 아코가 쓸데없이 냉정하게 자신에게 버프를 걸면서 달려 나갔다.

◆루시안 : 자, 해치워!

◆아코 : 에〜잇!

반짝☆ 반짝☆ 하는 수수께끼의 이펙트를 내면서 아코가 마스터를 때렸다. 때렸다. 때렸다.

핑크 스타의 반짝반짝 지팡이가 마스터를 덮쳤다.

싸움은 끝났다.

길드 앨리 캣츠 최강이었던 마스터의 전패라는 비참한 결과로.

◆애플리코트 : 설마 이런 일이 벌어질 줄이야······. 이렇게나 현실이 받아들여지지 않는 건, 당시 최강이었던 기요틴 소드가 뽑기 경품이 된 다음 주에 마치 거짓말처럼 약화되었던 그때 이후 처음이다.

◆루시안 : 성능이 버그였던 무기를 뽑기 경품으로 쓰고 그 다음 주에 버그 수정을 한 그거 말이지?

그것도 그것대로 받아들이기 힘든 사건이었다.

뽑기를 돌렸던 사람들이 모두 경악에 휩싸였다고.

◆애플리코트 : 어째서 내가 패한 거냐. 어떻게 된 건지 설명해라, 루시안!

◆루시안 : 예이 예이.

이미 알고 있던 사실이긴 했는데 말이지.

◆루시안 : 그게 말이지, 일단 슈바인에게 패한 건 어쩔 수 없어. 근접 딜러는 대인전의 에이스니까. 마법사가 정면 승부를 하면 대부분 져.

◆슈바인 : 후하하하하ㅋ

슈가 의기양양하게 더블 피스를 취한다.

아, 이 녀석 완전 재수 없어.

◆루시안 : 나는 뭐, 탱커고, 대인전에서 정면 승부를 할 경우 몰아넣어서 잡는 데는 전문가나 다름없으니까.

딱히 실드 부메랑으로 이기지 않더라도 리플렉트 대미지로 살짝 깎은 뒤에 배시로 스턴시키고 원콤을 넣을 수 있으니까.

물론 제대로 맞는다면 말이지만…… 마스터는 피하질 않으니까.

◆루시안 : 그리고 아코는, 이 녀석의 스탯 분배는 쓸데없

이 대인전에 맞거든.

◆아코 : 그럴 생각은 없었는데요.

◆루시안 : 그럴 생각이 없어도 그렇게 됐다고. 너는 모든 스탯을 골고루 올렸잖아.

LUCK이 높으니까 디버프의 성공률이 높고, 내성도 높다.

쓸데없이 AGI와 DEX를 올려서 공격 모션도 빠르고, 명중률도 꽤 된다.

STR을 올려서 때리면 조금 화력도 있다.

장비가 약하고 레벨도 높지 않아서 강하다고는 할 수 없지만, 겉모습에 비해 의외로 안정감이 있다.

◆루시안 : 요컨대 상성이 나쁜 거야. 마법사는 대인전에서 정면 승부를 할 수 있는 직업이 아니라고.

◆애플리코트 : 하, 하지만! 나도 사전 조사는 했다!

마스터는 납득하지 못하는 모양이다.

◆애플리코트 : 나와 같은 LW가 단독으로 적을 날려버리는 영상을 많이 봤다! 장비로 따지면 내가 떨어질 리가 없잖나!

◆루시안 : 그야 몹을 상대로 하면 마스터의 장비 쪽이 강하겠지만.

대인전과 몹 상대는 전혀 다르다.

화력만 있으면 그걸로 끝나는 게 아니니까.

◆루시안 : 어디 보자. 일단 대인전을 하고 싶다면 장비로

침묵 내성을 갖추고, 인첸트로 빙결 내성을 올리고, 스테이터스로 한층 보강해서 영창 방해 내성 스킬은 MAX까지 올려놓고, 가능하다면 스킬을 방해받지 않게 하는 장비를 달고, 또 INT에 배분하는 스테이터스의 30% 정도는 VIT에 배분한 캐릭터로 하지 않으면 안 돼.

◆애플리코트 : 그런 캐릭터 구성으로 사냥을 할 수 있는 거냐?

◆루시안 : 그다지 잘할 수는 없지만, 특화 캐릭터는 그런 법이잖아. 대인용 캐릭터는 평범한 사냥에선 그다지 도움이 안 돼.

이 사냥터만큼은 강합니다! 라는 구성으로 만들어낸 특화 캐릭터는 상정한 필드에선 강하다. 하지만 다른 전장에서는 딱히 도움이 되지 않는다.

마찬가지로 대인 특화 캐릭터도 사냥에는 그다지 도움이 되지 않는다.

그래서 슈도 정면 승부에서는 마스터보다 강하지만, 캐릭터 스펙이 화력에 너무 집중돼서 공성전에 나가면 아마 순삭당할 것이다.

나도 장비가 부족해서 화력이 없으니까 도움이 안 될 거고, 아코도 죽는 게 일이 될 거라 생각한다.

우리는 모두가 몹 사냥 전문 캐릭터인지라 대인 전투에서는 잔챙이 취급이다, 이 말입니다.

◆애플리코트 : ············잠깐, 루시안. 그럼 뭐냐.

마스터가 조심조심 물었다.

◆애플리코트 : 우리가 상대하는 건, 그런 『적대 플레이어를 죽이기 위해 준비된 폐인 캐릭터의 대군』이라는 거냐?

◆루시안 : 응.

◆슈바인 : ……무리인 거 아니야?

슈가 툭 중얼거렸다.

그러니까 무리라고 했잖아.

◆아코 : 이어달리기 나가는 건 싫어요오.

◆루시안 : 나도 싫어…….

††† ††† †††

다음 날, 현대통신전자 유희부 부실에서는 무거운 분위기가 감돌고 있었다.

"이건 상정하지 못했다."

마스터가 팔짱을 끼고 말했다.

"이후에 여러모로 조사를 해봤다만, 내 애플리코트를 대인전에서 활약할 수 있는 캐릭터로 바꾸기 위해서는 처음부터 다시 만드는 쪽이 빠른 레벨이더군."

"나도 조금 대인전을 즐기는 친구랑 연습을 해봤는데, 참패였어."

"나는 나름대로 대인전도 고려한 구성이지만…… 장비가 없으니 말이지."

스턴 내성이나 구속 내성, 마법 방어 상승이나 기타 등등, 대인전에서 앞줄에 서기 위한 장비를 대부분 빼앗겼다.

대인전을 할 생각은 없었지만 일단 갖고는 있었다고. 분하다.

"공성전은 문화제까지 몇 번 하는 건가요?"

"매주 일요일에 치러지지. 문화제까지 앞으로 세 번은 하겠군."

세 번밖에 없다는 게 또 빠듯하다.

실전에 익숙해지기 전에 승부의 날이 찾아오겠는데.

"……애초에 문화제 준비를 3주일 안에 하는 건가요?"

큰일 아닌가요? 라며 아코가 고개를 갸웃했다.

"평범한 문화제라면 여름 방학 전부터 준비를 시작해서 여름 방학 중에 끝내니 말이다."

"……우리가 여름 방학 중에 아무것도 하지 않았던 건."

"주로 고문 잘못이지."

하아, 하고 한숨이 겹쳤다.

성실한 것처럼 보이지만 그 사람도 참 어지간하다니까. 고양이공주 씨니까 당연하지만.

"……온라인 게임의 역사 패널을 만들까요?"

이 부 안에서조차도 전쟁이 벌어질 테니까 그만두자.

"으음, 온라인 게임 체험 코너를 만들어서 누구를 항상 놔 둔다는 건?"

"나는 절대로 싫어!"

"이래 봬도 회장이다. 이런저런 일이 많아서 말이다."

두 사람이 안 된다면, 남은 건 우리밖에 없다.

"나랑 아코 중에 누군가가 항상 있는 건 역시 무리가 있지 않나."

"둘이서 계속 여기서 온라인 게임 하고 있어도 괜찮은데요."

"아니 아니. 같이 돌고 싶잖아. 문화제."

판매점 같은 데를 돌고, 선배들이 파는 강매 상품을 사고, 그다지 잘하지 못하는 무대 발표도 보자고.

"그건 즐겁겠지만, 후야제에는 절대로 안 나갈 거예요?!"

"아코는 캠프파이어에 싫은 추억이라도 있는 거냐…… 아니 미안. 있지. 있겠지. 물어본 내가 미안해."

그렇게 울상을 짓다니.

"그럼 모두가 만족하는 즐거운 문화제를 치르기 위해선 어떻게든 승리를 쟁취할 수밖에 없겠군."

"작전이 있는 거야?"

"몇 가지 생각은 해뒀지만…… 일단 실전이다."

마스터가 주먹을 꽈악 쥐었다.

"어젯밤의 경험을 통해 영상이나 위키 지식만으로 통달했다고 생각하는 것의 위험성을 잘 알았다. 이번 주말 공성전에 전력으로 참가해보자. 일단 거기서 뭔가를 붙잡아야만 해."

영상파에서 탈피한 건 일단 좋다 치고, 과연 우리가 뭘 할 수 있을까.

"그럼 주말까지는 가능한 범위 안에서 장비를 맞추고."

"일단 연습을 해볼까……."

나는 컴퓨터를 마주 보고 앉아 앞으로 시작될 험난한 싸움을 느끼고 있었다.

자기 위안 정도의 장비를 맞추고 약간 연습을 하고 맞이한 제1회 공성전.

우리는 중간 규모의 도시, 라이소드에 만들어진 성당요새 앞에 집합했다.

◆애플리코트 : 이것이 우리 앨리 캣츠에게는 첫 전투가 된다.

마스터가 우리를 둘러보며 말했다.

◆애플리코트 : 먼저 분위기를 파악하기 위해 크지도, 작지도 않은 적당한 사이즈의 성을 골라서 공성전에 참가하기로 했다. 현재 이 라이소드 성당요새를 소유한 길드는 『청소조합』으로, 주된 업무 내용은 요새 내부의 쓰레기 청소라고 한다.

◆슈바인 : 장난 치냐.

남의 길드 이름에 불평하지 말라고.

◆아코 : 귀엽네요. 메이드 같아요.

◆애플리코트 : 요컨대 성에 진입하는 우리 같은 쓰레기들을 쓸어버리겠다고 하는 거다. 얕보고 들어갔다간 패배는 필연적이겠지.

◆슈바인 : 성을 갖고 있는 길드 녀석들을 전부 쳐 죽이면 되잖아. 이 몸에게 맡겨두라고.

◆아코 : 저는 뒤에서 보고 있을게요.

버프랑 힐은 해줄래?

힐러는 자기 목숨을 최우선으로 두지 않으면 안 되지만, 오늘의 아코는 평소 이상으로 뒤를 뺀다는 느낌이 들었다.

『아코』를 자신 그 자체라고 생각하는 만큼, 사람과 싸우는 게 더욱 무서운 것이리라.

◆애플리코트 : 우리의 최종 목표는 성 최심부에 존재하는 영주의 방. 그곳에 있는 크리스털을 파괴해서 우리 크리스털로 바꾸는 거다. 우리 크리스털이 남아 있는 상태에서 공성전이 종료되면 그 성은 우리 것이 되지.

반대로 말하면 현재 성을 소유하고 있는 길드는 전력으로 성을 지킨다는 거다.

이미 요격 체제를 갖추고 우리가 오는 걸 이제나저제나 기다리고 있을 것이다.

▶지금부터 공성전을 개시합니다.◀

안내 문자가 나왔다.

이 안내 문자가 나온 직후부터 성 주변에서는 자기 길드 멤버나 그 동맹 길드에 소속된 멤버 말고는 모두 적이 된다.

◆애플리코트 : 준비 됐나? 밀리지 마라. 그리고 겁먹지 마라. 그저 우리의 힘을 보여주는 거다.

잠시 뜸을 들인 뒤 마스터가 호령을 내렸다.

◆애플리코트 : 출격!

◆루시안 : 간다!

◆슈바인 : 좋았어어어어어어.

◆아코 : 우우우.

멀리 보이는 라이소드 성당요새로 달려갔다.

잠시 뒤 전방으로 달려가는 다른 길드 단체도 보였다.

슬쩍 둘러봐도 십여 명은 있어 보인다. 우리보다 배는 많은 규모다.

◆애플리코트 : 좋아. 저들이 어떻게 싸우는지 보자. 먼저 그걸 참고로 삼는 거다.

마스터가 말했다.

그래, 먼저 다른 사람이 공격하는 걸 보고 빈틈을 엿보는 걸로 가자.

점차 가까워지면서 성이 확연히 보이게 되었다.

외벽 위에는 무기를 겨눈 방어 부대가 일렬로 늘어서 있었다.

그리고 우리가 지켜보는 가운데 전방 집단이 방어 부대의 사거리 안에 들어갔다.

◆애플리코트 : 자, 어떻게 공격할 거냐!

직후, 하늘이 빛났다.

외벽 위에서 화살과 포탄과 검과 창과 번개와 운석이 떨어졌고, 눈보라가 휘몰아치고 불꽃 회오리가 일대를 뒤덮었으며, 마지막으로는 눈을 가릴 정도의 대폭발이 일어났다.

연기가 걷히자— 그곳에는 아무것도 없었다.

◆슈바인 : 어이, 시체도 안 남았는데.

◆애플리코트 : 그 숫자가 10초도 걸리지 않고 전멸인가…….

뭐야 이 학살은.

공성전은 이런 거였어?!

◆아코 : 어쩔까요? 돌아갈까요?

◆애플리코트 : 아니.

어딜 봐도 돌아가고 싶어 하는 아코에게 고개를 내저은 마스터는 선두에 서서 달려갔다.

◆애플리코트 : 맞아보지 않으면 모른다! 돌격이다!

◆아코 : 싫~어~요~!

울고불고 짜도 보스의 지시를 거스를 순 없다.

우리는 아무 대책 없이 성을 향해 돌격을 감행했다.

일단 내 루시안은 눈보라까지는 버텨주었다. 정말 장하다.

◆아코 : 이제 가고 싶지 않아요…….

◆루시안 : 울지 마, 포기하고 가자.

◆슈바인 : 난폭한 마스터가 있는 길드에 들어온 게 잘못이야.

◆애플리코트 : 무모한 돌격을 시킨 건 사과하마. 사망 페널티가 없으니 조금만 더 도전해보자.

별수 없이 다시 성으로 향했다.

아무래도 다른 길드도 공격하는 모양인지 성 주변에는 팽팽한 전선이 만들어져 있었다.

성 입구 근처에는 시야를 뒤덮을 정도의 폭염, 눈보라, 운석에다 화살 비가 쏟아지고 있어서 도저히 안으로 들어갈 수 있을 것 같지 않았다.

◆루시안 : 다가가면 또 광역 공격의 비가 쏟아지려나.

◆슈바인 : 이럴 때 이 몸은 아무것도 못 한다는 게 답답하구만.

◆애플리코트 : 나도 원거리 공격 마법은 쏠 수 있다만…… 그걸로 상황이 바뀔 것 같지는 않군.

이렇게 전선이 안정되는 모습을 보니 어떻게 해야 할지 모르겠다.

소수의 이점을 살려서 구석으로 돌격해보기라도 해야 하나.

◆아코 : 아.

그때 아코가 근처에 있던 다른 길드 플레이어를 잘못해서 때렸다.

반짝☆ 하고 별이 튀었고, 아주 약간의 대미지 표시가 떴다.

얻어맞은 사람이 이쪽을 돌아봤다.

◆아코 : 죄송합니다. 잘못 때렸어요.

대답 대신 상단에서 내려친 검이 아코를 일격에 분쇄했다!

우와, 굉장하네. 일격이잖아.

아무리 아코가 약하다고 해도 대단한걸. 이 사람 강하네―.

◆루시안 : ―아니, 남의 신부한테 무슨 짓이야 이 자식아 아아아아아!

◆슈바인 : 이 자식. 이 몸에게 싸움을 걸었구나!

◆애플리코트 : 기, 기다려라 너희들. 이 길드는 인원이 많다, 중과부적―.

한동안 원거리전이 이어진 탓인지, 그동안 근캐들은 짜증이 쌓였던 것 같다.

눈물이 나올 정도로 흠씬 얻어맞고 우리는 다시 지면에 쓰러졌다.

◆애플리코트 : 과연. 적은 하나지만 아군은 하나로 똘똘 뭉치진 않은 거군.

◆루시안 : 공격하는 길드들도 라이벌이니 언제 공격당할 지 모르는 건가…….

무리겜 냄새가 심하게 나는데, 그렇게 느끼는 건 나뿐인 걸까.

◆애플리코트 : 위키를 봤다만, 이런 교착된 전선을 타파하 기 위해서 공성 병기라는 걸 만들 수 있다고 한다.

◆슈바인 : 호오, 성벽을 박살내고 돌입하는 건가.

◆슈바인 : 음. 예를 들어 이 자이언트 캐터펄트— 통칭 자 이는 자재를 모아서 건조하고, 플레이어 다섯이서 조작할 수 있다고 하는군.

다섯. 다섯이라…….

나, 아코, 슈바인, 마스터…….

◆루시안 : 더 없잖아.

◆아코 : 역시 무리예요. 돌아가서 평범하게 놀자고요.

◆애플리코트 : 기다려, 기다려라. 포기하기에는 아직 일 러. 한 가지, 아직 하지 않았던 게 있다.

뭐야, 그 승리 플래그 같은 대사는.

그러고도 지면 쪽팔릴걸, 마스터.

◆애플리코트 : 지금까지는 너희들에게 금지당했었지…….
남의 돈으로 살아남아도 기쁘지 않다느니, 남의 돈으로 효 율이 올라도 기쁘지 않다느니 하면서. 그러나, 이 자리에서 그런 사양은 필요 없는 것 같군. 내가 가진 과금 아이템을 전부 써서 녀석들을 쓰러뜨리겠다!

◆루시안 : 뭣, 마스터?!

◆슈바인 : 서, 설마, 완전 회복 포션이나 즉시 부활 부적 같은, 많이 쓰면 재미없어진다는 이유로 제한이 걸린 과금 아이템을 꺼낸다는 거냐, 이 자식?!

마스터는 아득한 저편을 바라보며 살며시 끄덕였다.

이 사람, 저지를 셈이야!

◆루시안 : 그만둬 마스터. 안 돼!

◆애플리코트 : 문제없다. 동료를 위해 쓰는 거라면 이 아이템도 바라던 바겠지. 다녀오마. 지켜보고 있어라!

◆루시안 : 그게 아니야, 마스터!

전선으로 달려가는 마스터. 그 뒤에 대고 외쳤다.

◆루시안 : 공성전에서는 과금 아이템 금지라고!

◆애플리코트 : 그럴 수가아아아아아아아아!

마스터의 모습이 마법의 파도에 삼켜져 사라졌다.

◆애플리코트 : 설마 과금 아이템이 금지될 줄이야……. 과금 완포를 쓸 수 없다면 완전 회복 아이템은 이그드라실의 물방울 정도밖에 없어.

◆아코 : 그거 한 번도 써본 적 없어요~.

◆슈바인 : 그야 한 개에 10M 이상이니까. 그런 걸 쓸 바에는 장비를 갖추는 편이 낫다고.

지당한 말이다.

나도 이그물 같은 걸 쓰는 사람을 본 적이 없다.

◆루시안 : 이그물을 쓴 시점에서 적자 확정이니까. 적자를 회피하기 위해 어느 길드도 비싼 회복약은 쓰지 않는다더라.

하지만 값싼 포션은 쿨타임이 꽤 길단 말이지.

저 광역 공격의 탄막을 뚫기는 어렵다.

◆애플리코트 : 큭…… 뭔가 방법이 없는 건가. 우리의 목적을 위해서는 여기서 물러날 수가 없는데.

◆루시안 : 그런 소리를 해본들 방법도 없고, 저 성도 함락될 것 같지는…… 응?

그때, 새로운 집단이 후방에서 나타났다.

2, 30명 정도의 대군이다.

숫자만이 아니다. 발을 맞춘 진군에서 확실한 지휘 계통과 충분한 경험이 느껴졌다.

선두에 선 한 명이 뒤를 돌아 동료들에게 말했다.

◆†클라우드† : 자랑스러운 고양이공주 친위대의 전사들이여. 들어라.

―오, 오오.

◆아코 : 저기, 갑자기 낯익은 이름이.

◆루시안 : 기분 탓이야, 기분 탓.

◆†클라우드† : 우리의 목적은 단 하나― 우리의 여신 고

양이공주 님께 이 성을 바치는 것이다.

…………

◆루시안 : 기분 탓이라니까.

◆슈바인 : 아무 말도 안 했다만.

◆†클라우드† : 우리가 원하는 건 승리뿐! 설령 동료의 등을 밟고 넘어서더라도, 반드시 목적을 달성한다! 모든 것은 우리들의 성천사(聖天使), 고양이공주 님을 위하여!

우오오오오오오오! 라는 소리가 겹쳤다.

성천사인지 여신인지 하나만 하라고.

◆고양이공주 : 그런 건 한 마디도 부탁하지 않았다냐아아아아아아.

오, 본인도 있네.

◆슈바인 : 뭐하는 거야, 저 사람.

◆루시안 : 저 사람만큼은 정말로 모르겠어.

진짜로 모르겠다.

이윽고 고양이공주 친위대는 성을 향해 무모한 돌격을……?

◆슈바인 : 어이, 의외로 선전하는 것 같지 않아?

전선을 밀어붙이고— 아니, 일부를 깨부수고 근접 딜러가 뒤쪽으로 돌입했다.

그 후 후방 딜러 부대가 근접 전투에 동참하자 단숨에 탄막이 줄어들었다.

◆애플리코트 : 적의 진형이 무너진다……

고양이공주 친위대의 아머 나이트가 전선 일부를 깨부수고 근접 딜러들에게 길을 만들어줬다.

동시에 좌우에서 스텔스 상태로 침입한 어쌔신이 혼란을 더욱 키워서『청소 조합』의 방어 진형을 무너뜨려갔다.

◆아코 : 선생님네 길드 너무 강한 거 아닌가요?! 저게 뭐죠?!

◆루시안 : 아니…… 응, 강하……네…….

고양이공주 친위대는 쭉쭉 진격하여 드디어 성 내부까지 진입했다.

우리도 뒤를 쫓아야 했지만, 최후미를 터덜터덜 따라가는 고양이공주 씨를 보니 그럴 마음이 들지 않아서 전진하는 그들의 뒷모습을 배웅했다.

그리고 몇 분 후, 시스템 로그가 우리들의 채팅창에 떴다.

▶[라이소드 성당요새]를 [고양이공주 친위대]가 점령했습니다.◀

◆슈바인 : 따냈는데, 요새…….

◆루시안 : 따냈네…….

◆아코 : 돌아갈까요.

◆애플리코트 : 으음.

우리는 조용히 평소 지내던 술집으로 돌아갔다.

고양이공주 친위대는 최종적으로 거대 길드의 침공에 패배하여, 안타깝게도 영주의 자리를 넘겨주고 말았다.

월요일의 부실. 오늘도 무거운 분위기가 감돌고 있었다.

그러나 그 이유는 조금 달랐다.

우리는 매우 딱딱한 미소를 짓는 사이토 선생님을 흘겨보고 있는 중이었다.

"저, 저기, 그게 말이지. 그게 아니거든?"

꽤나 요령부득한 소리를 하는 선생님에게 세가와가 차갑게 말했다.

"고양이공주 선생님. 어제는 대체 뭔가요?"

"그게 말이지, 저기, 착각하지 말아주렴. 그런 게 아니란다."

"모든 것은 고양이공주 님을 위하여!"

"우리들의 여신!"

"성천사 고양이공주 님!"

"고양이공주 님에게 바치겠습니다!"

"아니다냐아아아아아! 그런 거 부탁한 적 없다냐아아아!"

고양이공주 씨가 으아아아앙 울면서 주저앉았다.

"그저 모두한테 성을 얻으려면 어떻게 하면 좋은지에 관해 상담했다냐. 그랬더니 이러쿵저러쿵하는 사이 그런 일이……."

"어차피 그럴 거라는 생각은 들었지만……."

일단 협력하려고 한 결과가 그 상황이었나.

아주 약간이지만 안타까워졌다.

"그보다 선생님네 길드는 왜 그렇게 센 거야? 이상하지 않아? 설마 그 꼴을 하고서 진지한 길드인 건 아니겠지?"

"설마. 평범한 잡담 길드인데?"

"이상한 이야기로군……."

어, 그런가?

고양이공주 친위대가 강한 게 이상해?

"그렇지 않아. 강한 게 당연해. 고양이공주 친위대라고."

"너도 들어가고 싶어?"

"그게 아니라! ―기다려, 아코. 그런 표정 짓지 마!"

썩은 동태 같은 눈으로 나를 보고 있잖아!

"역시 첫사랑을 잊을 수 없다거나……."

아니라니까!

"저기 말이야. 고양이공주 씨도 말했던 거지만, 거기는 『옛날 고양이공주 씨가 LA를 플레이하던 시절의 친구들이 복귀 기념으로 모여서 만들어진』 길드라고. 내 지인들도 꽤 많이 들어가 있단 말이야."

"요컨대 선생님의 친위대잖아?"

"그건 틀림없어."

"우우우우!"

뭐, 당시부터 인기 많던 사람이었으니.

"단지, 설립 경위는 어찌 됐든 간에, 나와 고양이공주 씨가 같은 길드였을 무렵, 즉 2년 이상 전부터 레전더리 에이지를 플레이하던 사람들이 모여 있다는 거야."

그것도 나처럼 쇼크를 받아 다른 게임에 손을 대거나 깨작깨작 솔플을 했던 게 아니라, 계속 진지하게 플레이하던 사람들뿐이다.

"당연히 폐인이 아니라 해도 레벨은 높고, 장비도 갖췄을 거고, 조작도 익숙한 데다 연계도 능숙하겠지. 어지간한 길드보다는 강할걸."

그런 『그리운 멤버들 대집합 길드』는 강하다. 숫자는 적더라도 아무튼 강하다.

유명 플레이어의 복귀에 맞춰서 과거 멤버들이 모여 부활한 길드가 서버 밸런스를 붕괴시킨 사례도 얼마든지 있다.

"그렇게 새로운 중견 길드가 탄생했다는 거야."

"고참은 폼으로 된 게 아니라는 거네."

"선생님 대단하네요."

"역시 우리 부의 고문 교사군."

"그런 칭찬 들어도 전혀 기쁘지 않거든."

선생님은 진심으로 슬픈 듯이 고개를 숙였다.

"어찌 됐든, 대충 필요한 전력은 알았다. 전술도 말이지. 이번에는 중규모의 성을 관찰했지만, 최소규모의 성이라면 고양이공주 친위대보다 적은 전력으로도 승부할 수 있을 거다. 다음 주는 이기러 가자."

"어쩔 수 없겠네."

"할 거냐……."

"내키지 않는데요……."

"나는, 아무 부탁도 안 할 거야?"

의욕이 넘쳐나는 마스터, 아직 희망을 버리지 않은 세가와, 질색하는 나와 반쯤 울상인 아코, 그리고 이미 울고 있는 것처럼 보이는 선생님.

상당히 카오스 같은 상황이었다.

"하지만 과금 아이템을 쓸 수가 없다니…… 이 얼마나 심각한 핸디캡인가. 납득이 안 가는군."

"별수 없잖아. 대미지 증가나 즉시 부활이나 완전 회복 같은 걸 펑펑 쓰면 밸런스가 엉망이 된다고."

"돈을 내는 자가 이득을 보는 건 전혀 이상한 게 아닐 텐데."

"한도가 있잖아."

돈을 내서 성을 따낸다는 인식이 생기면 싸우는 쪽도 기분이 상한단 말이야.

"뭐, 부족한 부분은 우리들의 힘과 유대로 어떻게든 한다는 걸로."

"하긴, 그것밖에 없나……."

마스터는 아직 납득하지 못한 모양이지만, 동료와 함께 노력하는 건 싫지 않은 것 같았다.

"저기, 있잖아."

그때 세가와가 나와 아코를 잡아끌고는 얼굴을 맞대고 소곤소곤 말했다.

"이거 조금 괜찮지 않아?"

"괜찮다니?"

"뭐가 말인가요?"

"저 과금 중독자가 과금 아이템을 아무것도 쓰지 못하는 상황에서 싸우는 거야. 이건 과금을 그만두게 할 수 있는 좋은 기회 아닐까?"

과금을 그만두게 한다, 라.

확실히 과금 아이템을 전혀 쓸 수 없는 상황이긴 하지만……

"마스터의 과금 버릇이 나을지도 모른다고?"

"마스터가 쓰고 싶다면 그냥 마스터 마음대로 하게 해주는 게 나을 것 같은데요."

아코가 그렇게 말했지만, 세가와는 한층 목소리를 죽였다.

"그것도 한도가 있잖아. 딱히 의미도 없는데 뽑기가 갱신됐으니까 100번 돌려본다, 같은 플레이 스타일은 정상이 아니라고."

"그건 그렇지."

"대체 얼마나 쓰는지 생각하고 싶지도 않아요."

게다가 친한 우리는 — 아코 제외 — 그 은혜를 받는 걸 꽤나 꺼리기 때문에 남은 아이템이 점점 쌓이는 상태라고 한다.

그래도 다음 뽑기는 돌린다. 갱신됐으니까 한다.

무섭다면 무섭다.

"과금 없이 이걸 해내면 과금에 의존하는 짓이 줄어들지도 모르잖아. 기왕 이렇게 됐으니 비밀 목표야. 과금은 낭비라는 걸 깨닫게 해주자고. 재미있지 않을까?"

"확실히, 조금 불안하긴 했으니까……."

"우리 무과금의 의지를 보여준다는 거라면 한몫 거들어줄게."

"오케이. 결정됐네."

세가와가 우후후 웃었다.

신바람이 나서 자리로 돌아가는 모습은 매우 기분이 좋아 보이니 잘됐다 싶긴 하지만…….

"그런데, 그걸 위한 대책은 있긴 하냐?"

"응?"

세가와는 진심으로 의아하다는 듯이 고개를 갸웃했다.

"그걸 생각하는 건 너잖아?"

"열심히 해주세요. 루시안."

그대로 나한테 떠넘겨버렸다.

그, 그러냐. 내 일이냐.

"……………그래. 오케이."

둘 다 나한테 너무 심한 것 아닌가 싶지만, 설령 내가 그어떤 무모한 작전을 주장하더라도 순순히 따라줄 것이 틀림없다. 그건 신뢰하고 있다.

그렇기에 굳이 소란 부리지 않고 순순히 받아들였다.

그런 그렇고…… 어떻게 할까.

기교제까지 앞으로 2주일.

현대통신전자 유희부, 첫 문화제는 앞길이 첩첩산중이었다.

2장

검과 마법의 골수 폐인

"오늘의 날씨는, 운석~, 운석이다~."

"그런 날씨는 없어!"

"운석 따위로 나를 막을 수 있으리라 생각하지 말라고!"

아니, 멈추라고. 안 돼, 거기 지나가면 죽어!

하늘에서 떨어지는 운석을 피하면서 달리는 나, 그리고 슈바인.

최단거리를 가능한 한 낮은 대미지로 빠져나가는 게 목표다.

"죽어도 살아날 수 있으니까요~."

"가능하면 죽고 싶지 않아!"

신부의 응원이 응원 같지가 않다.

좀 더 다정함이나 사랑이 갖고 싶다. 조금 더 어리광을 부리게 해달라고.

이러쿵저러쿵해서 우리 현대통신전자 유희부는 이번 주 공성전을 대비해 한창 자발적으로 연습을 하고 있었다.

그리고 우리 근캐 두 명은 광역 공격의 탄막을 피하면서 앞으로 나간다는, 명백하게 무리젬 같은 미션을 부과받았다 이겁니다.

협력자는 아레나 맵에서 시간을 때우고 있던 아무 관계없는 플레이어 여러분.

죽일 생각으로 광역 공격을 쏴달라고 했더니 좋아하며 협력해주었다.

너무 기뻐서 눈물이 다 나오겠네, 빌어먹을 녀석들.

"힘내라~."

그렇게 노력하는 우리 뒤에서 엄청나게 한가롭게 응원하는 소리가 있었다.

약간 익숙해진 게 조금 싫어지는, 묘하게 달콤한 목소리.

"……아키야마. 대체 언제 온 거야. 그보다 대체 뭐 하는데?"

"세테 와쩌요 뿌우!"

아키야마가 반짝! 웃으며 말했다.

"우왓, 낡아빠졌어."

너무나 그리운 나머지 오한이 날 것 같아!

그나저나 아키야마는 내 리액션에 오히려 놀랐나 보다.

"어, 어제 막 익힌 건데."

"어, 어제입니까."

그, 그렇습니까. 아뇨 딱히 불만 같은 건 전혀 없습니다.

초보자의 오타쿠 발언은 아무래도 코멘트하기 어렵네.

"……나나코, 왔어? 반 전시물은 괜찮아?"

진지하게 게임하는 모습을 보여주는 건 조금 미묘한 모양이다. 세가와의 복잡한 표정을 본 아키야마는 만면에 미소를 지으며 말했다.

"귀찮아서 이쪽으로 땡땡이치러 왔어."

우리 반이다만.

그보다 아키야마는 나랑 같은 담당 아닌가.

일 잘 되고 있어? 괜찮아?

"나도 여기 부원 같은 거니까 도와줘도 문제는 없지?"

"부원 아니야. 부원 아니란 말이야. 아니, 부원이 되면 안 돼."

"아, 안 되는 편이 나을 것 같은데요?"

조심조심 아코가 말을 꺼내기가 무섭게 아키야마가 꼬옥 끌어안았다.

"에이, 타마키 아직도 화났어? 미~안~하~다~니~까~."

"아아아우아아아우아우, 아뇨 아뇨, 화 안 났어요. 전혀 화 안 났어요!"

"자자, 우리 아이 괴롭히지 마."

"안 괴롭혔어!"

의외로 마음에 들었다는 건 알겠지만, 그건 아코 쪽에서 보면 괴롭히는 겁니다.

봐, 작은 동물처럼 내 뒤에 붙어서 떨고 있잖아.

엄청 귀엽네. 이 녀석이 내 신부라고.

"또한 우리 부는 부원을 모집하지 않는다. 아쉽게 됐구나."

"모집하지 않는다니, 그래도 되는 거야?"

이 부활동 뭐든지 가능하구만.

그나저나 광역 공격을 피하는 실력이 조금 늘었다. 아코가 달라붙은 상태로도 조작할 수 있을 정도다.

어떤 타이밍에 스킬이 발동하고, 어디서 대미지 판정이 발생하며, 언제 대미지 판정이 끝나는가. 그것을 파악하는 것이 중요하다.

무시할 수 있는 대미지라면 오히려 돌진하는 편이 상처가 얕은 경우도 있다.

"하지만 역시 광역 공격을 빠져나갈 수 없다면 의미가 없어. 장비를 조정해야 하나."

"인첸트로 MDEF 올릴래? 카라사와의 파문이 하나 남았는데."

"아, 그거 좋을지도……."

마법 방어력은 중요하니까. 으음…….

"나도 돌진한 뒤의 일을 생각해서 범위 디버프를 거는 액티브 장비를 살까 싶단 말이지."

"만약 돌파에 성공한다 해도 그 후가 문제니까."

"회복하기 위해 따라가면 저도 죽어버리니까요."

아코는 어렵겠지. 돌아오는 걸 믿고 기다리고 있는 편이 낫다.

"왠지 그렇게 상담하는 걸 보니까 평범한 부활동 같네?"

일단 평범한 부활동이다만?

"그런데, 마스터. 우리가 하는 이 연습에 의미가 있어?"

"당연하지."

마스터가 자신만만하게 끄덕였다.

"나에게 비책이 있다. 맡겨둬라."

괜찮을까…….

그날 귀갓길.

오늘도 아코랑 둘이서 돌아가는 중이다.

이렇게 아코랑 걷고 있어도 서로 붙어 있지 않는 건 여름이기 때문이다.

조금만 더 서늘해지면, 이렇게— 팔짱을 끼거나, 손을 잡고 주머니에 넣는다거나, 그런 걸 할 수 있지 않을까.

그런 상상을 하면서 조금 천천히 걸었다.

"루시안, 부활동이 너무 진지해서 즐겁지 않아요."

그런 내 마음과는 전혀 다른 방향으로 가고 있는 아코가 왠지 불만스럽게 말했다.

"진지하다고 해도, 너는 뒤에서 버프를 걸기만 할 뿐이잖아."

"버프가 끊기면 혼나는 시점에서 진지하다고요."

아니, 버프가 빈번하게 끊기는 힐러는 급조 파티에서도 지뢰 취급이거든?!

"연습 같은 건 이제 귀찮으니까 레벨 올려서 물리로 패면 되지 않을까요?"

"아코의 레벨이라면 몰라도, 나랑 마스터의 레벨을 올리는 데 며칠이나 걸릴지 생각하면, 과연 효율이 좋을지 미묘해지는데."

최종적으로는 올려야 하는 게 사실이지만, 단기적으로 보면 어떨까.

"공성전은 지금도 변함없이 패배 이벤트인가요?"

"으음, 패배 이벤트인 건 틀림없지만, 이겨도 강제적으로 패한 걸로 취급하는 정도는 아니게 됐지."

"레벨을 올려서 기본 사양의 빈틈을 노려 시간을 들여가며 억지로 이기면 제대로 퀘스트가 진행되는 타입인가요! 큰 전진이네요!"

"과연 그게 큰 전진인 걸까."

"평범하게 싸워서 꼭 이겨야만 하는데, 이긴 뒤에 실은 전혀 통하지 않았습니다! 같은 이벤트보다 훨씬 낫지 않나요?"

아— 알지, 알고말고. 그런 경우 꽤 있다니까.

"응. 확실히 그건 정말로 쓰레기 같지."

신 나게 두들겨서 쓰러뜨렸는데 전투가 끝나니까 보스는 여유로운 표정이고 아군은 헥헥거리는 이벤트. 정말로 영문을 모르겠다.

"뭐, 어찌 됐든 인생의 패배가 확정된 것보단 훨씬 낫네요."

"인생을 내버리는 건 그만두자."

매 전투에 중요하게 임하자고.

"그냥 게임만으로 먹고살고 싶어요. 프로 게이머라거나."

"설마 아코 네가 될 수 있으리라 생각하는 거냐."

그야말로 다시 태어나도 무리 같은데.

"우우, 그건 그렇지만요. 하지만 보세요. 옛날에는 게임 속 경매장에서 아이템을 오른쪽에서 왼쪽으로 넘겨주는 것만으로도 현실에서 생활이 가능한 시대도 있었잖아요?"

"순식간에 망했잖아! 과거의 영광에 취하지 마!"

그런 장사는 오래 버티지 못한다고!

역시 견실하게 살아가는 게 최고란 말이야!

"아, 장사라고 하니."

아코가 양손을 탁 두드렸다.

"들어주세요, 루시안. 조금 곤란한 일이 생겼어요!"

우와, 아코에게서 듣고 싶지 않은 말 랭킹 베스트5 정도가 나왔다.

그거 꼭 들어야 하나?

"그 전제가 나온 시점에서 상당히 듣고 싶지 않은데."

가뜩이나 성가신 퀘스트가 기다리고 있는데 이 이상 귀찮은 일은 사양하고 싶은 기분으로 가득하옵니다.

"그런 말 하지 말아주세요. 저랑 루시안 사이잖아요."

"너랑 나 사이라면 어쩔 수 없군. 한번 말해봐."

"그렇게 말해줄 거라고 생각했어요."

부부니까 별수 없지.

그리고 처음부터 내가 들어주리라고 믿어 의심치 않는 아코의 얼굴을 보면 네 이야기 따윈 듣고 싶지 않다고 말하기 힘들다.

"실은 말이죠, 우리 반 전시물 말인데요."

"아아, 마에가사키의 맛있는 음식 전시잖아."

"네. 그게 말이죠, 약간 변경됐어요."

"호오?"

괜찮은 기획이었는데 변경한다고?

반 전시물치고는 신선해서 나도 보러 가려고 했을 정도였는데.

"어차피 맛있는 음식을 소개한다면 교실에서 견본을 대접하는 게 어떨까, 라는 이야기가 되어서요."

"더 좋잖아. 먹고 싶다, 먹고 싶어."

좋은 수정이네.

그림의 떡이 아니라 실물을—.

유저의 마음을 생각한, 온라인 게임 운영진보고 본받으라고 해주고 싶을 정도의 운영 방침이다.

"하지만 무료로 먹게 해주면 엄청난 적자니까, 일단 돈을 받게 되었어요."

"뭐, 어쩔 수 없지."

"그 다음에는, 어차피 돈을 받을 거라면 여러 상품을 마련해서 다소 이익을 얻자는 이야기로 나아갔고요."

"으, 으응?"

왠지 온라인 게임 운영진이 본받으면 안 되는 방향으로 나아가고 있는데?

"이익을 얻기 위해서는 손님을 가득 불러들여야 하니까, 여자가 접대를 하자는 형태로 발전했어요."

엉뚱한 곳으로 가고 있어. 엉뚱한 곳으로 가고 있다고. 이 운영은 위험해.

"완전히 찻집이네…… 반 전시물은 어디로 간 거야."

"네. 이건 찻집이라는 이야기가 나왔어요. 그리고 찻집으로 이익을 내려면 역시 메이드 카페지! 라는 말이 나와서, 우리 반은 『마에가사키의 맛있는 음식을 먹을 수 있는 메이드 카페』가 되고 말았어요."

"막장 운영이네!"

이 운영진 글러먹었잖아! 운영 회사 바꿔!

"취재한 근처 가게랑 이야기가 다 된 모양이라 멈출 수가 없었던 것 같아서……."

학교 바깥까지 말려들게 만든 탓에 누구도 막지 못했던

건가.

어이, 쓸데없이 책략이 충실하잖아.

"일단은 『실물 여고생 한정 메이드 카페』라든가 『리얼 JK1 전문 메이드 카페』 같은 가게 이름도 나오긴 했는데요. 그건 기각됐어요."

"그런 이름이 나온 시점에서 너네 반은 상당히 위험한데."

범죄 냄새밖에 나지 않는다.

문화제에서 했다간 지방 신문에 나올 레벨로 소동이 벌어질걸.

"그렇다니까요. 엄청 위험해요!"

문제는 거기예요! 라며 아코가 힘차게 대답했다.

"메이드 카페라고 결정된 뒤의 일이에요. 그럼 리더인 메이드장을 정해야지~ 라는 의견이 나온 순간 『메이드? 메이드라면 타마키지. 타마키밖에 없어. 그럼 메이드장 부탁해.』―라고 어째서인지 반 전원의 의견이 일치해서 상의 하나 없이 제가 메이드장을 하게 되었다고요! 이거 이상하지 않아요?!"

"……그건 너희 반 녀석들이 옳아."

"루시아안?! 으째서배딩한건가여?!"

"그런 소리 안 했어, 안 했다고."

배신도 안 했고.

하지만 나조차도 그 상황이었다면, 뭐, 아코겠지~ 라고 생각했을걸.

"일반인 쪽에서 보면 오타쿠 여자는 메이드 할 수 있을 것 같다는 인식을 가진다고."

"그런 건 곤란해요! 저는 주부이지 메이드가 아니라고요. 그런 선 긋기는 확실히 해두고 있어요!"

"주부라고 주장해도 곤란한데. 내가 곤란하다고. 아마 네 머릿속에서 가정을 꾸리고 있을 내가 누구보다 곤란하단 말이야."

"전업을 희망해요."

"일하지 않는 자 신부도 될 수 없느니라."

"안 돼요, 루시안! 페미니스트들의 달콤한 말에 귀를 기울이면 안 돼요! 여성은 가정에 들어가야 한다고요!"

"어째서 내가 혼나야 하는데."

보통 반대라고 생각한다만.

"그건 넘어가더라도. 어쩌죠, 제가 메이드장이라고요. 소쇄(瀟灑)인가요. 소쇄해져야 하는 건가요."

"네 주변에서는 시간이 잘 멈출 것 같네."

분위기가 얼어붙는다는 의미로.

"딱히 상관없잖아. 명목뿐이니까. 대외적으로 아코가 주도해서 메이드를 하고 있다고 하지 않으면 곤란할걸."

오픈 오타쿠인 아코가 메이드 대표라면 문제없지만, 일반 학생이 메이드장인 건 여러모로 부담될 테니까.

"명목뿐만이 아니라 일도 있다고요. 메이드복을 어디에서 찾아와 달라거나, 누가 어느 시간에 일할지 시간표를 정해 달라거나, 접대 매뉴얼을 만들어달라거나."

"그건 귀찮겠네."

약간 떠넘기는 느낌이 드는군.

마음대로 일할 시간을 정할 수 있다면 편한 시간에 자기를 넣어두면 될 것 같긴 하지만.

"계~속 조용히 듣고 있던 탓에 아무 일도 맡지 않았으니까요. 조금 방심했을지도 몰라요."

"빨리 아무 일이나 맡았어야지……."

그 부분을 잘 간파하지 않으면 우리 같은 인종은 고생하는 처지가 된다니까.

"하지만 가장 큰일일 것 같은 메이드복은 마스터한테 부탁하면 적당히 마련해주지 않을까? 그 사람 전에도 코스프레 복장 갖고 왔었으니까."

고양이공주 씨가 입었던 그거라거나, 그야말로 메이드복이었…… 아니다, 떠올리지 말자.

"그러네요. 그건 나중에 물어볼게요. 문제는 다른 여자들한테 예정을 묻는다는 고행이랑, 접객 매뉴얼 같은, 오히려 제가 갖고 싶은 물건을 만들어야 한다는 지옥이에요."

"으, 응…… 힘내라. 응원은 해주마."

"네에."

시무룩하게 대답한 아코는 내 옷자락을 잡았다.

끌어당기는 감촉에 다시 걷는 속도를 줄이면서, 살짝 아코의 메이드 복장을 상상했다.

음, 아코에겐 미안하지만 문화제의 즐거움이 하나 늘었다.

††† ††† †††

온라인 게임부의 준비만으로 끝난다면 편하겠지만, 문화제는 반 단위의 전시도 있다.

여름 방학이 끝나고 나서 다음 시험까지 시간이 비는 이 기간, 은근히 많은 시간이 문화제 준비에 할당된다. 뭐, 수업보다는 낫다고 생각하지만.

그런 연유로, 나도 커다란 모조지에 끄적끄적 글자를 적는 작업에 힘쓰고 있었다.

"애들아, 알겠니! 학교의 역사 패널에서 학교 역사 기술을 완전히 베껴도 되는 건 연속 2행까지! 3행은 반드시 조금 바꿔서 적어야 해! 교내 지도 담당하는 애들은 나무 배치나 나무의 형태 같은 아무래도 좋은 곳을 바꿔서 속이면 트레이싱해도 OK야!"

"예입, 알았어!"

"대놓고 복붙이야 여유롭지."

의욕이 없다고 하던 것치고는 의외로 성실하게 현장 감독을 맡고 있는 아키야마가 말하자 교실 안 여기저기에서 저마다의 대답이 돌아왔다.

거만하게 끄덕이는 건 좋지만, 아키야마 너도 일을 좀 해주시겠습니까.

"다들 제대로 하렴. 도서관 책을 완전히 베끼는 건 발표라고 하지 않아."

"예입."

"하고 있어요~."

"……정말, 그거 절대 거짓말이지."

담임인 사이토 선생님에게 날아온 대답은 어딜 봐도 대충이었다.

선생님은 모조지를 마주한 내 곁으로 다가와 시무룩하게 주저앉았다.

"루시안…… 선생님은 괴롭다냐……."

"교실에서 고양이공주 씨로 변할 정도인가요."

그야 꽤 괴롭긴 하겠네요.

"다들 제대로 하지 않는다냐…… 지시를 기다리며 의존하는 학생들이라면 몰라도, 자주적으로 게으름 피우려고 움직이는 학생들은 어떻게 다뤄야 할지 모르겠다냐……."

"그냥 평범하게 혼내면 되잖아요."

"완성품은 아무도 화내지 않을 레벨이 될 것 같다냐. 그러니 야단치는 것도 이상하다냐."

"까다롭네요."

고양이공주 씨도 나름대로 교사 신념이 있는 모양이다.

"우리 반은 다들 착한 아이들이다냐. 연대감이 있고, 사이도 좋고, 괴롭힘도 없다냐. 그런데 의욕만은 빠져 있다냐."

"우리 반의 리더 격이 게으름 피울 생각으로 가득하니 말이죠."

리더 격이란 즉, 아키야마 — 와 세가와 — 의 그룹을 말한다.

우리 반의 방향성은 선두에 선 그룹의 행동 방침으로 크게 변한다. 그런 점은 온라인 게임의 길드와 아무런 차이가 없다. 어쩔 수 없는 부분이다.

일단 체육제 쪽은 꽤나 의욕이 있는 모양이지만 말이지.

어째서일까. 리얼충의 『즐겁게 보내야 하는 이벤트』라는 기준에 학업이 들어 있지 않은 부분, 나도 그 이유를 잘 모르겠어.

"루시안네가 훨씬 목표를 향해 진지하게 노력하고 있다냐. 일치단결하고 있다냐. 고양이공주 씨는 최선을 다해 응원한다냐."

"그야 고문이니까 응원은 해주세요. 그보다 선생님, 한가하면 도와주시죠."

"안 되지. 학생이 스스로 하지 않으면 의미가 없잖니."

표정을 싸악 바꾼 선생님은 웃는 얼굴로 다른 쪽 상황을 보러 갔다.

젠장, 불리할 때만 선생님으로 돌아가기는! 비겁하잖아, 고양이공주 씨!

"야야, 거기 바보~, 가 아니라 니시무라, 잠깐 이리 와봐."

"그냥 불려오는데 나는 왜 매도를 당하는 걸까!"

평범하게 부르란 말이야. 세가와!

너 말고는 그런 심한 소리를 하는 녀석이 없다고!

"이거야 이거. 학교 주변 지도인데, 보기 쉽게 크게 복사하려고 하거든. 그림을 조금 수정해주지 않을래?"

"안 해! 손으로 써서 크게 만들라고!"

"있잖아. 나는 호의로 말하는 거라고? 넌 이런 것 말고는 못하니까 이걸 놓치면 우리 반에 도움이 될 기회가 없잖아? 그치?"

"그치? 라고 말해본들."

보라고, 옆에 있는 애가 곤란해 하고 있잖아. 동의해줄 수도 있긴 하지만, 대놓고 말하는 것도 조금 그렇다, 같은 자상한 표정이잖아.

고맙다, 이름 모를 급우여. 네가 미묘한 표정을 해주지 않았다면 내 마음이 꺾였을지도 몰라.

"그보다 그 정도는 네가 스스로 하면 되잖아."

"내가 이런 걸 할 수 있을 리가 없잖아."

"너 이 자식…… 으그극."

"왜~애?"

동영상 편집 기술까지 가진 네가 사진을 편집하지 못할 리가 없잖아.

일반인의 탈을 뒤집어쓰고 일을 떠넘기다니 비겁하구나, 슈바인.

"그렇게까지 말한다면 어쩔 수 없지. 그러면 대신해서 내 모조지를—"

"시, 싫어요~!"

그때, 조금 먼 곳에서 그런 낯익은 울음소리가 들렸다.

"저기, 니시무라."

"아니, 기분 탓일지도……."

"제가 주인이라고 부를 사람은 루시안뿐이에요! 주인님이 라고 말할 수 없어요!"

"…………."

"……지금 이건."

응. 다 들려.

"서방님도 안 돼요. 저한테는 남편이 있다고요!"

왜 이렇게 다른 반에서도 들리도록 큰 소리로 외치는 거냐, 아코.

힘이 빠진 나를 본 세가와가 딱하다는 시선과 함께 말했다.

"쟤는 이제 글러먹었네……."

"하지만 이번에는 화낼 기분이 안 드는데."

"……왜."

"아코가 다른 남자를 주인님이라고 부르는 걸 상상하니까 열 받아."

"너희들 정말로 끼리끼리 부부네?!"

그렇지? 너무 칭찬하지 마.

"저, 저기, 니시무라 군? 가보는 편이 좋지 않을까?"

"하긴. 미안, 아쉽게도 우선순위가 높은 일이 들어와서 말이야."

"그래그래. 갔다 와."

획획 쫓아내듯이 손을 흔드는 세가와에게 등을 돌리고 아코네 반으로 달려갔다.

신부가 있는 탓에 나도 조금은 익숙해진 아코네 반, 어째서인지 한동안 일을 도와줬다.

내 일이 한층 늦어졌다.

†††   †††   †††

"자, 각자 반에서 준비를 하는 가운데 일부러 모이게 해서 미안하다."

현대통신전자 유희부에 모인 우리를 둘러보며 마스터가

말했다.

"모레인 일요일에는 우리 부의 두 번째 공성전이다. 마지막 찬스는 다음 주지만, 물론 이번에도 이길 생각으로 간다. 그래서 오늘은 작전 회의를 하려고 한다."

"네~에."

새것 같은 컴퓨터 책상에 앉아서 진심으로 좋아하며 그렇게 말한 건 아키야마다.

댁은 왜 앉아 있는 겁니까.

"우우우. 무서워요, 루시안."

"아키야마는 물지 않으니까 괜찮아."

"개 아닌데?"

아키야마 근처에 있는 것만으로도 대미지를 입는 모양인지, 아코가 매우 무서워하고 있었다.

무서운 건 알았으니까 팔을 꽉 붙잡지 말아줄래. 하복이니까, 굉장히 보드라우니까, 아니, 정말로 촉촉한 느낌이거든.

그리고 가장 괴로운 표정을 짓고 있는 건 세가와다.

"……왜 나나코의 자리가 있는데?"

"이번에는 잔챙이의 손이라도 빌리고 싶으니 말이지. 사이토 교사와 아키야마의 자리도 임시로 설치했다."

"잘 부탁해~."

"내키지 않는다냐……."

임시라니 뭔데? 나중에 정리할 거야?

그쪽이 오히려 더 큰일 아니야?

"있잖아. 나나코. 이런 성가신 일을 꼭 도와줄 필요는 없거든?"

"에이, 즐거워 보이는데? 나도 열심히 할게."

"…………어째서 그 의욕을 반 전시물에는 쏟아주지 않는 건가냐."

울지 말아주세요, 고양이공주 씨.

그리고 이건 아무래도 좋은 일이긴 한데.

"왜 고양이공주 씨는 로그인 직후에 귓속말 채팅창이 열 개 정도 열리는 건가요."

"다들 곧바로 채팅을 보내온다냐. 대답하기 조금 고역이다냐."

"허, 허어……."

역시 여신은 그냥 되는 게 아니었다.

"그럼 회의를 시작하자."

마스터가 짝짝 손뼉을 치자 전원의 시선이 모였다.

자, 그럼. 무슨 작전으로 가는 걸까.

"처음인 멤버도 있기 때문에 우리의 목적에 대해 대충 설명해두마."

마스터는 화이트보드에 『성 탈취』라고 크게 적었다.

"미션은 각 마을에 건설된 성 중에서 어딘가를 탈취하여 공성전 종료까지 지켜내는 것이다. 공성전 시간은 일요일

12시부터 14시까지 두 시간. 그 사이 적이 점령한 성 내부의 크리스털을 파괴하고 우리 크리스털을 설치해서 지키는 거다. 단순 명쾌하지."

"이렇게 들으니 단순해 보이네요. 루시안."

"말로 설명하면 그렇지."

실제로 하는 게 어렵단 말이야.

"저번에는 중규모인 라이소드 성당요새에서 전장의 기본을 배웠다만, 이번부터는 최소규모인 칸토르 소성(小城)을 타깃으로 삼는다."

오, 목표가 다소 현실적으로 변했는데.

"칸토르는 초보자가 맨 처음 도착하는 초기 마을로, 팔고 있는 아이템 레벨이 낮은 데다 세수입도 적지. 영주 보수 아이템도 저레벨이라 영주가 되는 게 손해라는 소리까지 나오는 성이다. 현재 영주도 『청소 조합』보다 훨씬 소규모 길드인 『엠퍼러 소드』지. 구성 인원은 기껏해야 20명. 우리에게도 승기는 있다."

"정말로 우리가 이길 수 있어?"

"괜찮다니까. 20명 정도라면 가능해, 가능해."

아키야마의 저 자신감은 어디서 나오는 걸까.

네가 100명이 모여도 전력은 안 되는데.

그런 의문 어린 시선을 깨달았는지 아키야마는 해맑게 손을 들었다.

"그치만 지금부터 그 길드 사람과 친해져서, 일주일만 요 새를 빌려달라고 부탁하면 되는 거잖아? 간단하지 않아?"

"그런 작전이 아니야!"

그쪽 방향으로 가자는 거였어?!

20명 정도라면 간단히 친해질 수 있다는 거냐?!

"최악의 경우에는 가장 지위 높은 사람을 두, 세 명 골라 서 서로 싸우게 하면 문제없고."

"정말로 그만둬! 이건 문화제! 즐겁고 평화로운 문화제 이 벤트라고!"

"노, 농담으로 들리질 않는데요."

"나나코라면 할 수 있지 않을까?"

맞아. 성공할 것 같아서 더 무섭다고!

그들은 전혀 나쁘지 않아. 길드를 박살 내는 건 그만둬!

"그럼 어쩔 거야? 친구를 모아서 길드에 넣을 거야?"

확실히 그건 괜찮을지도 모른다. 싸우려면 무엇보다 숫자 가 중요하니까 대책으로써는 올바르다. 올바르긴 하지만……

"앨리 캣츠에 그다지 사람을 늘리고 싶지는 않은데."

"맞아. 모르는 사람이 들어오는 걸 바라진 않아."

"그래? 동료가 많은 편이 즐겁지 않아?"

아키야마가 의아한 듯이 말했다.

"하하하, 이 녀석."

"당신은 무슨 소리를 하는 건가요."

"이상한 소리를 하는 녀석이로군."

쾌활하게 부정하는 우리를 보고 아키야마는 고개를 갸웃했다.

"……내가 이상한 거야?"

"아키야마는 이상하지 않아. 다른 애들이 이상한 거란다."

선생님은 이미 포기한 모양이었다.

"그럼 당일 어떻게 움직일지에 대해 설명하지. 먼저 이 자료를 봐다오."

마스터가 우리에게 몇 장의 프린트를 건넸다.

우와, 굉장한데. 성의 구조와 설명, 전투가 벌어질 가능성이 높은 길드의 구성 같은 게 주르륵 나와 있잖아. 이런 걸 어떻게 조사한 거야.

그리고 또 하나. 증원이라는 기술이 있었다.

"조금 전 아키야마도 말했다만, 확실히 우리 인원수로는 책략을 짜지 않으면 승리하기 힘들다. 그러나 비겁한 수단은 쓰고 싶지 않지. 거기서 생각한 것이 용병을 고용한다는 작전이다. 첫 장 자료에 자세한 설명이 있다."

"어어, 증원으로 용병 길드 『발렌슈타인』을 고용하고, 그 타격 전력을 주축으로 삼아서 전투를 행한다, 라네요! 동료가 늘어나네요! 해냈어요, 루시안!"

"잠깐, 그만 좀 해! ……아니, 용병? 용병이라니 설마 마스터."

"그 이름대로, 돈으로 고용한 병사다. 우리에게 부족한 인원을 보충하기에는 좋은 작전 아닌가?"

"마, 마스터…… 역시 돈으로 해결하자는 거야……?"

세가와는 질색을 하며 머리를 감싸 쥐었다.

뭐, 예상은 했던 이야기지. 응.

"그렇게 말하지 마라. 이 길드『발렌슈타인』은 고작 다섯 명으로 구성되어 있으니까."

"아아, 뭐야. 소규모네."

그거라면 상관없겠네, 라고 말하며 세가와가 웃자, 마스터가 말을 이었다.

"그러나 안심해라. 리더인 바츠 씨를 시작으로 서버 톱클래스의 실력자들이 모인 유력 길드다. 다섯 명 있으면 50명은 죽일 수 있을 거다."

"그러니까 그런 터무니없는 녀석들을 데려와선 의미가 없다고 했잖아?!"

"선생님은 모두의 힘으로 노력했으면 한다냐……."

"원군을 부탁했을 뿐입니다. 숫자로 보면 우리 쪽이 많으니까요."

전력으로 보면 압도적으로 그쪽이 위라고 생각하는데.

"당일에는 개전 10분 전에 집합.『발렌슈타인』과 가벼운 미팅을 한 뒤에 처음 한 시간 동안은 실전 속에서 연계를 조정. 그리고 마지막 한 시간이 남았을 때 전력으로 공격하는 형태가 된다."

"그렇게 강한 길드라면 어차피 세세한 건 다 그쪽에 맡기는 거 아니야?"

"음. 다른 길드한테도 권유를 받았다고 하지만 높은 보수를 약속해서 빼내왔다. 활약해주겠지."

마스터는 자신만만하게 말했다.

으음. 그런 작전이 되었나.

"……잠깐만, 니시무라."

다가온 세가와가 복잡한 표정으로 말했다.

"결국은 돈으로 어떻게든 하려고 하는데. 마스터."

"현실의 돈이 아니라 게임 속의 돈으로 고용한 거잖아요? 그럼 괜찮지 않을까요?"

"그리고 돈이라고 해도 어마어마한 액수를 낸 건 아니라고 생각해. 사용한 아이템 대금과 얼마간의 시급, 날뛸 수 있는 기회를 원하는 것 같으니까."

"그래도 말이야."

세가와의 염려도 알고 있지만, 미안.

"나도 이 작전은 괜찮은 계획 중 하나라고 생각하고 있었어."

"뭐어?! 너도?!"

"그치만 어쩔 수 없잖아. 뭘 하더라도 사람이 부족하니까."

한가해 보이는 아는 길드에 부탁해서 사용한 아이템 대금을 이쪽이 부담할 테니까 마음대로 날뛰어 달라는 의뢰를 하려고 생각했었다.

그런 의미에서는 마스터도 역시 대단하다.

소수 전력으로는 서버 최강 클래스의 용병을 데려왔으니까, 정말 굉장하다.

굉장하기야 굉장하긴 한데…….

"그런 사람들은 조금 특수한데, 마스터가 과연 잘 다룰 수 있을까."

"마스터도 카리스마가 없는 건 아니긴 한데 말이지."

"저기, 그런 강한 사람들과 함께 싸우는 건 무섭지만요……. 루시안, 지켜주실 거죠?"

아니 아니, 그 사람들 아군이거든.

"저기 저기, 선생님. 이 『비밀 결사 알파카 목장』이라는 길드, 귀엽나요?"

"알파카는 말이야. 잘 보면 조금 무서운 표정이란다."

"그곳의 정식 명칭은 『비밀 결사 알파카 목장~미래에 빛나는 신소재~』다. 빙결 속성 내성이 높은 알파카 장비로 통일하고 있지. 만약 적대할 경우 화염 속성으로 공격해라."

"헤에. 정말로 알파카구나~."

저쪽 세 명은 과연 이야기가 통하는 건가.

"정말 괜찮을까?"

"······뭐, 될 대로 되겠지."

현대통신전자 유희부, 두 번째 싸움이 눈앞으로 다가오고 있었다.

그리고 일요일 낮, 우리는 부실에 모였다.

아직 문화제까지 조금 시간은 있지만, 일요일에도 와서 준비를 하며 열심히 일하는 학생들이 많이 있는 것 같았다.

"저기, 학생인 너희와는 다르게 선생님은 내일도 일이거든?"

"선생님의 일터랑 우리가 등교하는 곳은 같은데요."

"쉬는 날의 부활동 감독도 고문이 할 일이잖아요?"

"고문 일은 무급이란 말이다냐아아아아아아!"

알고 싶지 않은 사실이 드러나고 말았다!

"근무 형태에 문제가 있다면 정리해서 이사회 쪽에—."

"아아, 괜찮아. 교사야 늘 이런 법이니까. 큰일로 만들지 않아도 된단다."

마스터가 진지하게 받아들이자 오히려 선생님이 당황했다.

교사는 의외로 큰일이구나, 응.

"자, 그럼. 슬슬 공성전 시간이다."

"긴장되네요."

아코의 표정이 조금 딱딱하다.

사람과 싸우는 것만으로도 우울한 모양이다.

"이제 광역 공격을 맞고 너덜너덜해지는 꿈을 꾸는 건 싫어."

"꿈까지 꾼 거냐……."

온라인 게임 꿈이야 자주 꾸지만, 그런 고문 같은 꿈은 괴롭겠네.

"해냈다, 이겼다! 성을 차지했다! 같은 타이밍에 눈을 뜬 날도 있었어. 그때의 기쁨을 대체 어떻게 보상해줄 거야?"

"그날은 아침부터 아카네한테 화풀이를 당했어. 너무하지?"

"그건 어쩔 수 없어. 꿈에서 레어가 나와서 엄청 좋았는데, 아침에 눈을 떠서 그게 없다는 걸 알았을 때는— 일단 눈에 들어오는 걸 전부 박살 내고 싶어지니까."

"꿈과 현실은 다른데?!"

"어쨌든 내 앞에 그 레어가 없는 게 마음에 안 들어."

"성이 손에 들어오지 않는 게 마음에 안 들어."

"화풀이는 그만두자, 응?"

우리는 어째서인지 아키야마한테 화풀이를 했다.

그걸 전부 쓴웃음으로 넘기는 시점에서, 역시 그녀는 그릇이 상당히 큰 리얼충이었다.

"자, 그럼. 슬슬 발렌슈타인과 합류할 시간이다."

"대인전 페인이라…… 어떤 사람들이려나."

"말하자면 누군가를 쓰러뜨리는 게 좋아서 견딜 수 없는 사람이겠네요."

그런 식으로 말하면 위험한 사람처럼 들리니까 그만둬.

"누구보다 강하다는 걸 증명하고 싶다거나, 단순하게 모든 걸 박살 내는 게 재미있다거나, 그런 사람도 있으니까."

"결국 이상한 사람이잖아요."

"이상하지 않은 사람도 어느 정도 있긴 하지만, 역시 이상한 사람이 눈에 띄니까 말이지."

어느 업계나 그런 법이다.

그리고 소인원 최강 길드 같은 이명이 붙는다는 건— 대부분의 경우, 이상한 길드다.

"음. 왔다."

그 말을 듣고 화면을 바라보자, 약속 장소인 칸토르 광장에 들어오는 플레이어 몇 명이 보였다.

번쩍번쩍 빛을 내뿜는 장비를 전신에 장착한 5인조가 이쪽으로 걸어왔다.

엠블럼은 당장에라도 뛰쳐나올 것 같은 독수리 문장.

여러 의미로 유명한 용병 길드 『발렌슈타인』이다.

◆바츠 : 안녕하심까.

◆코로 : 안녕하세요.

◆미즈카 : 반가워요 ^^

선두에 온 사람이 분명 리더인 바츠 씨. 나랑 같은 아머 나이트인 코로 씨랑 힐러인 미즈카 씨가 인사를 해 왔다.

　◆애플리코트 : 이렇게 와주다니 고맙다.

　◆루시안 : 잘 부탁합니다.

　◆아코 : 잘 부탁합니ㅏㄷ.

　"너, 그 채팅을 틀리냐."

　"그치만요오오오오오."

　◆슈바인 : 오우.

　◆세테 : 잘 부탁해요~.

　◆고양이공주 : 냐아.

　냐아, 로 끝내는 고양이공주 씨도 꽤나 거물이구만.

　뒤의 두 명…… 활을 들고 있는 사람과 마스터랑 같은 마법사는 묵묵히 이곳을 보고 있었다. 왠지 조금 무섭다.

　◆바츠 : 미안하네. 성 근처에선 동맹 결성 같은 건 조작 못하니까 조금 멀긴 해도 이곳으로 잡았어.

　채팅창에 표시가 떴다.

　▶[발렌슈타인]과 동맹을 맺었습니다.◀

　아, 정말로 동료와 함께 싸운다는 이상한 실감이 드네.

　◆애플리코트 : 상관없다. 공성전 개시부터 바로 싸울 생각은 없으니까.

　◆바츠 : 아, 그래? 처음부터 마음껏 싸우고 싶었는데ㅋ

　그렇게 말하며 웃는 바츠 씨의 장비는 과연 엄청났다.

보기만 해도 알 수 있다. 이건 대인전에 진지하게 몰입하는 사람이다.

"강해 보이네……."

"그래? 그다지 강해 보이진 않는데?"

"아니 아니, 그렇지 않아."

단순히 몹 사냥용 장비를 강화하기만 할 뿐이면 어디에나 있는 평범한 플레이어다.

저 사람들은, 마법 방어가 높은 대신 공격력이 낮아지는 갑옷이나, 대인 방어밖에 오르지 않는 투구나, 베는 것만으로 디버프가 들어가는, 몬스터 사냥할 때는 절대 쓰지 않는 무기 같은 장비들을 오라가 나올 정도로 전력으로 강화했다.

"대인 전용 장비인데 그걸 주저 없이 완전 강화했다는 건, 정말로 골수 폐인이야."

"저런 걸 가리켜서 강하다고 말하고 싶진 않아."

그런가? 저건 저것대로 조화가 잘 이루어져서 꽤 멋있어 보이는데.

경장갑이지만, 뭔가…… 사람을 죽이기 위한 장비라는 느낌이라서.

◆애플리코트 : 그럼 가벼운 연계 확인이라도 할까.

◆바츠 : 아~, 그럴까.

◆코로 : 그럼 탱커끼리 스위치 타이밍만이라도 정해둘까?

◆루시안 : 어…… 대인전에서도 스위치 같은 걸 하나요?

◆코로 : 아~, 그럼 됐어.

엥, 아니. 설명! 설명해줘!

스위치는 그거잖아. 커다란 보스를 상대할 때 한 명이 계속 메인 탱커를 맡고 있으면 포션 쿨타임 때문에 물리적인 한계가 오니까 메인 탱커를 교대하는 거잖아! 알고 있다고!

하지만 대인전에서 대체 뭘 어떻게 스위치하는데?! 응?!

◆미즈카 : 아코 씨, 버프 분배는 컨센을 제가 해도 되나요?

◆아코 : 네, 네에?

◆루시안 : 미안합니다. 이 녀석 아직 컨센 못 쓰거든요.

◆미즈카 : 아아, 그럼 새크 부탁드려요 ^^;

"버프 분배라니 뭔가요?!"

진정해, 진정해. 레이드 파티 같은 데서도 하는 거잖아.

"둘이서 같은 버프를 걸게 되면 귀찮으니까 거는 버프를 둘이서 나누는 거야."

"그럼 새크러먼트만 걸면 되는 거네요."

"전원한테."

"…………하나, 둘, 셋……."

"열한 명 파티야."

힘내라 힐러. 중요한 일이야.

◆미즈카 : 이쪽 다섯 명의 리커는 제가 할 테니까, 그쪽은

아코 씨랑 고양이공주 씨한테 부탁드릴게요. ^^

　◆아코 : 네. 넷.

　◆고양이공주 : 알겠다냐. 아코한테 맡겨라냐.

"리커버리 올도 제가 하는 건가요?"

"열 명이 넘는 파티라도 보통 힐러는 한 명이라고."

"무리예요오오오오."

"선생님은 기본적으로 보고 있을게."

"이런 곳에서 선생님답게 나오지 말아주세요!"

아코의 말에 울음이 섞인 건 제쳐놓고, 준비를 진행하자.

　◆바츠 : 세테 아직 저렙? 장비도 그렇고. 그럼 대충 지시 내릴 테니까 그대로 움직여줘.

　◆세테 : 네에.

　◆슈바인 : 이 몸은 어떡하지?

　◆바츠 : 대검이잖아. 돌진해서 란란이나 하면 돼.

　◆슈바인 : 란란…….

적 한가운데서 대검 스킬인 램페이지 소드를 붕붕 돌릴 뿐, 그것이 가장 강했던 시대에 태어난 단어, 망겜을 떠도는 자, 란돼지[#2]가 되라는 지시가 나오고 말았다.

괘, 괜찮으려나. 세가와. 화내지 않으려나.

힐끔 보자, 조금 어두운 눈으로 키보드를 치고 있었다.

#2 란돼지 일본의 MMORPG 판타지 어스 제로가 막장 운영으로 게임이 망해가자 지친 유저들이 돼지의 페르소나를 뒤집어쓰면서 생긴 단어. 란란거리는 돼지라 란돼지다.

"란란만 하면 된다고? 아아, 그래. 알았어. 알았다고."

"괜찮냐, 세가와."

"괜찮아. 란란하면 되잖아. 내 대검의 위력을 얕보지 말라고."

"어, 어어. 힘내라."

화력에 특화한 만큼 위력만이라면 장난이 아니니까, 슈라면 분명 활약해주리라고 나는 믿고 있어.

◆바츠 : 나머지는 그냥 우리만 따라오면 돼.

◆애플리코트 : 그런 애매한 방침으로 괜찮나.

◆바츠 : 괜찮다니까. 칸토르 같은 덴 여유라고ㅋ

◆애플리코트 : ……그런가.

왠지 분위기가 안 좋다.

진심으로, 결사적인 각오로, 딱딱한 긴장감과 함께, 열심히 해서 이기자는 마음으로 왔던 우리와는 다르다.

발렌슈타인 사람들은 대충대충이고, 애매하고, 전혀 진지하지 않다.

하지만 우리가 모르는 걸 많이 알고 있고, 분명 이 대충대충 상태에서도 우리보다 훨씬 윗선에 있을 것이다.

그 어긋난 부분이 왠지 꺼림칙했다.

"저기 저기, 루시안."

"뭡니까."

옆에서 말을 거는 아키야마를 돌아보자, 그녀는 조금 미묘한 표정으로 말했다.

"……저기, 이건 본론이 아니지만, 왜 나한테는 가끔씩 존댓말을 쓰는데?"

"그만 버릇이 돼서."

무슨 버릇? 이라고 고개를 갸웃하면서 야키야마는 모니터 안의 바츠 씨 일행을 가리켰다.

"이 사람들 말이지, 왠지 느낌이 안 좋지 않아?"

"음, 그런가?"

확실히 분위기가 가볍다고 할까, 대충이라고 할까, 얕보고 있다는 느낌은 든다.

실제로 나도 분위기가 나쁘다고 느꼈다.

하지만 우리가 약한 건 사실이고, 어쩔 수 없다는 마음도 들었다.

"으음, 설명하긴 어려운데……. 이 사람들 말이야, 트위터의 팔로우를 빨리 해제하지 않으면 위험해지는 사람이랑 똑같은 분위기가 난다고 할까?"

"대체 무슨 분위기?! 팔로우를 해제하지 않으면 어떻게 되는데?!"

"멋대로 폭발해서 이쪽까지 불똥이 옮겨붙어."

모, 모르는 바는 아니지만…….

이 녀석과 이어져 있으면 나중에 엄청 귀찮을 것 같아, 같은 사람이야 분명 있지만!

"자자, 처음 만난 사람들을 그렇게 나쁘게 말하지 말자. 친하게 지내자고."

"으음, 내 감은 잘 맞는데 말이지."

▶지금부터 공성전을 개시합니다.◀

불만스러워하는 아키야마를 타이르면서 나도 속으로 생각했다.

아키야마의 감은 엄청 잘 맞을 것 같은데, 라고.

그리고 찾아온 칸토르 소성.

인적이 드문 성이라 그런지 지금은 쳐들어오는 길드도 없다.

적도 그다지 많지 않고, 몇 안 되는 파수꾼이 작은 외벽 위에 있는 것이 보였다.

◆루시안 : 눈치 챈 건가. 성 입구에 방어선이 쳐져 있어.

◆바츠 : 그럼 레벨 낮은…… 세테랑 아코. 각자 벽을 따라 북쪽과 남쪽으로 달려.

◆아코 : 엣.

◆세테 : 어째서?

◆바츠 : 괜찮으니까, 한 바퀴 돌고 와.

두 사람이 어쩔 줄 몰라 하며 나를 봤다.

아니 아니, 나를 봐서 어쩌려고. 지휘관은 내가 아니거든?

"일단 지시대로 해보자."

"네에."

"성 주위를 돌면 되는 거야? 사람 있는데?"

두 사람이 뚜벅뚜벅 걸어갔다.

성 근처를 달리고 있으니 당연히 외벽 위에서 공격 마법이 날아온다. 화살도 검도 창도 날아온다.

◆아코 : 공격받고 있어요!

◆고양이공주 : 두 사람 다 도망쳐라냐!

◆바츠 : 오케이, 오케이. 도망쳐 도망쳐. 벽을 따라 도망쳐.

점점 우리에게서 멀어지는 아코와 세테 씨.

마치 떡밥을 물은 듯 몇 명이 그 뒤를 쫓아갔다.

한동안 전선을 확인한 바츠 씨가 검을 들었다.

◆바츠 : 좋아. 전선에 사람이 줄었어. 갈 수 있겠는걸.

그걸 위해 달리라고 한 거냐?!

진짜로 단순 떡밥에 지나지 않았던 건가.

◆아코 : 우리는 미끼인가요?!!

◆세테 : 뭐어? 너무한 거 아냐?

◆바츠 : 언제 죽어도 상관없으니까 적당히 끌어들이라고ㅋ

"뭐야 이거. 미끼를 할 거면 너희들이 하면 되잖아."

세가와가 거칠게 마우스를 조작하면서 말했다.

용병으로 고용된 쪽인데 고용주를 미끼로 쓰다니 영 꺼림칙했다.

"심하긴 하지만…… 전술로서는 옳아. 전술로서는."

특히 저렙 테이머인 세테 씨는 진짜로 도움이 안 된다.

그런 그녀가 몇 명의 시선을 끌어준다면 효율은 좋을지도 모른다.

승리만을 바란다면 이런 작전을 팍팍 쓰는 게 올바르긴 하지만—.

"……내가 좋아하는 싸움법은 아니군."

내 생각을 그대로 이어받은 듯 마스터가 눈살을 찌푸렸다.

그렇지. 지금 와서는 그럭저럭 쓸 만해진 슈바인이 아직 하수였을 때도, 아코가 수많은 미스를 범했을 때도, 동료를 버리는 짓은 절대로 하지 않았던 것이 마스터고, 우리 앨리 캣츠다.

대충 적을 끌어들이고 죽으라는 지시를 내는 길드는 결코 아니다.

◆바츠 : 이 타이밍에서 무너뜨리자.

"이제 와서 이런 소리를 해도 별수 없다. 가자."

"이 짜증을 저 녀석들에게 퍼부어주겠어!"

"에에잇, 해보자!"

아코와 세테를 놔두고 슈바인과 함께 방어선으로 돌격했다.

나도 연습은 했다고. 20명 규모의 상대라면 빠져나갈 수 있을 거야!

"좋아. 갈 수 있을 것 같아."

"다 쓸어버리겠어!"

얇아지긴 했어도 여전히 원거리 공격의 탄막이 쏟아졌지만 연습한 대로 빠르게 그 사이를 벗어났다.

슈에게 받은 장비로 MDEF를 올렸기 때문에, 의도적으로 마법진 위를 통과해서 화살을 피하고는 앞으로 나섰다!

어떻게든 적 전면에 도착했을 무렵, 적의 앞줄이 우리 앞을 가로막았다.

나랑 마찬가지로 방패를 들고 창을 장비한 아머 나이트가 정면에서 나를 노려본다.

"적 앞줄이 앞으로 나왔어. 부딪친다!"

"저쪽이 앞으로 나왔다면 우리 쪽 마법의 사거리 안이다! 밀리지 마라!"

탱커끼리라면 후방의 딜러를 얼마나 믿을 수 있는지가 승부다.

녀석의 첫 일격을 막고 스턴을 걸었다. 한 명씩 쓰러뜨려 나가면—.

그런 식으로 머리를 굴리던 사이, 눈앞에 검은 그림자가 지나갔다.

◆바츠 : 멈추지 않아도 되는데ㅋ

옆에서 미끄러지듯이 접근해 온 바츠 씨가 양손에 든 검을 휘둘렀다.

내 정면에 있던 적의 HP가 한 방에 반으로 줄었다.

반격하기 위해 찔러 온 창을 가볍게 피하고 배후로 돌아간다.

쌍검을 다시 한 번 휘두르자 그대로 적 검사는 무너졌다.

아니, 저기, 내 의욕이나 그런 것들은, 대체 어떻게 해야…….

"……어? 지금 이건 뭐야?"

"엄청난 화력이군."

"화력도 그렇지만……."

굉장한 건 화력만이 아니었다.

선두에서 달리던 아머 나이트, 즉 나에게 시선이 모여서 탄막이 얇아지고, 그러면서 적과 가까운 부분을 정확하게 빠져나가서 돌파했다.

그리고 나를 공격하려던 적의 기선을 제압하는 일격을 날리고, 자신의 스킬 경직 시간을 세밀한 이동으로 캔슬해서 처음부터 예상된 적의 반격을 모션 캔슬의 덤이라는 듯이 훌륭하게 회피했다.

배후에서 날린 공격으로 적의 앞줄을 무너뜨린 후에는 즉시 적진 한가운데로 들어가서 방어력이 낮은 상대부터 물어뜯듯이 쓰러뜨리는— 그 동작들에는 일절 낭비가 없었다.

이런 움직임이 가능하구나.

"어쩐지 날아오는 원거리 공격이 줄었다 싶었는데, 뒤쪽 활 든 사람이 엄청난 기세로 떨어뜨리고 있었네."

"장난 아닌데. 이 사람들."

"우우우, 아직 한 바퀴를 다 못 돌았어요~."

"질~렸~어~."

아코와 세테 씨는 아직 성 주위를 달리고 있었다.

두 사람 다 미안. 정말로 미안.

"……뭔가 할 필요가 없네."

"정말이야."

우리가 거의 아무것도 하지 않는 사이, 『발렌슈타인』 사람들은 적의 방어 라인을 무너뜨렸다.

후퇴하게 만들었다거나 붕괴하게 만든 게 아니라, 전원을 쓰러뜨린 거다.

정말로 농담 같았다.

◆코로 : 이곳이 가장 지키기 쉬운 포인트였으니까 나머지는 그냥 가면서 밀어붙이자고.

◆루시안 : 네에.

같은 탱커인 코로 씨와 어깨를 나란히 하고 성 내부로 진군했다.

성 안뜰에 만들어진 두 번째 전선도 상대가 되지 못했다. 나와는 비교도 되지 않는 속도로 전선 한쪽을 돌파한 코로 씨가 후방에서 방패를 휘둘렀고, 『엠퍼러 소드』 멤버들은 제대로 된 저항도 못 한 채 족족 쓰러졌다.

"뭐야 이건."

"말도 안 돼."

멍하니 바라볼 수밖에 없었다.

◆아코 : 루시안, 기다려주세요~.

◆루시안 : 아, 아코. 쫓아왔구나.

최후미에서 겨우 아코가 쫓아왔다. 아코를 쫓던 적은 도중에 돌아간 모양이다.

전진하던 진형에서 조금 떨어져서 아코를 기다렸다.

역시 이 녀석이 없으면 기운이 안 난다니까.

타닥타닥 아코의 가벼운 발소리가 들렸다— 그리고 그것과 동시에 탁, 탁, 탁 하는 조용한 발소리가 들렸다.

"……스텔스!"

이 소리는 스텔스 이동을 하는 어쌔신!

"아코, 위험해! 어딘가에 어쌔신이 숨어 있어!"

"에에엑, 어, 어디요?!"

동요한 아코의 발소리가 멈췄다.

잠깐, 그게 가장 안 돼! 발을 멈추면 안 된다고!

◆로키·F : 이얍!

발을 멈춘 아코의 뒤쪽에서 뛰쳐나온 어쌔신의 단검이 덮쳐 왔다.

위험해, 뒤에서 제대로 들어갔어! 아코의 방어를 생각하면 즉사할 수도 있다고!

"꺄악!"

퍼억.

아코가 이판사판으로 휘두른 지팡이의 일격이 로키 씨를 후려쳐서 떨궈버렸다.

그러나 불굴의 로키 씨는 또다시 단검을 휘둘렀다. 그러나—.

"뭔가 있어요, 나왔다고요! 꺅, 꺄악!"

아코가 대충 휘두르는 지팡이 공격이 로키 씨의 공격을 발동하기 전에 막고 또 막았다.

◆로키·F : 으윽! 으윽! 으윽!

팔을 노리면 반짝☆ 효과와 함께 요격당하고, 다리를 노려도 반짝☆ 효과와 함께 막히고, 돌진해도 반짝☆ 효과와 함께 막혔다.

"우, 우와아……."

"꺅! 꺄악! 루시안, 살려줘요!"

"아, 알았어."

일반 공격만으로도 곤경에 처한 로키 씨의 안타까운 모습에 경직됐지만, 그럴 때가 아니었다.

어쨌든 아코를 도와줘야지!

◆바츠 : 방해야.

◆로키·F : 으아아아아아아아악.

어느새 돌아온 바츠 씨가 일격으로 로키 씨를 쓰러뜨렸다.

◆바츠 : 빨리 가자.

◆루시안 : 아, 네.

로키 씨, 불쌍하게도…….

공식에서 두개골이 배포되거나 하지 않았으면 좋겠는데…….

우리가 없는 사이에도 본대는 쭉쭉 전진했다.

최종 방어 라인인 영주의 방은 나름대로 튼튼한 전선이 펼쳐져 있었지만—.

◆바츠 : 우리 전원이 갈 테니까 보고만 있어.

◆미즈키 : 저도 앞으로 나갈 테니까 뒤를 부탁합니다. ^^

◆루시안 : 전원이라니, 잠깐—.

말 그대로 본대 후방에 위치해야 하는 마법사나 궁수까지 다섯 명 전원이 주저 없이 뛰어들어서, 전원이 한바탕 날뛰었다.

"이제 그냥 저 녀석들만 있으면 되지 않을까……."

"유감이지만, 그렇게 생각하지 않을 수 없군."

간단하게 영주 크리스털을 부숴버린 용병 길드 『발렌슈타인』을 보고 우리는 모든 의욕을 빼앗긴 기분이었다.

◆애플리코트 : 어찌 됐든, 여기에 우리 크리스털을 놓으면 되는 건가.

◆바츠 : 그래그래.

마스터가 크리스털을 살며시 올려놓았다.

푸른빛이 영주의 방을 감싸고, 채팅창에 안내 문자가 흘러나왔다.

▶성 [칸토르 소성]을 [앨리 캣츠]가 점령했습니다.◀

"······달성감, 없네."

"이런 형태로 클리어하고 싶지는 않았다냐."

"사치스러운 소리 마라."

그렇게 타이르는 마스터가 가장 납득하지 못한 표정인데?

◆바츠 : 그럼 조금 전 라인을 뭉개버린 곳을 지켜줘. 우리가 뒤에 숨어서 공격하는 적의 배후를 칠 테니까.

◆루시안 : 알겠습니다.

이미 완전히 지휘권을 빼앗긴 우리 앨리 캣츠는 지시대로 안뜰에 전선을 만들고 대기했다.

◆세테 : 멀리서 단체가 오고 있어~.

◆루시안 : 알았어······ 아니 세테 씨. 어디 있는데?

◆세테 : 돌아가도 할 게 없으니까 위에서 보고 있었어.

오오, 요령 좋네. 정답입니다.

내 주변에는 이런 사람이 드무니까 조금 신선하다.

◆바츠 : 또 엠퍼러 소드네. 적당히 뭉갤 테니까 광역 날려서 발만 묶어줘.

◆애플리코트 : 알았다.

다시 찾아온 건 당연히 이제 막 성을 빼앗긴 『엠퍼러 소드』였다.

분노에 몸을 맡겨 돌진해 오는 그들을 향해 발사된 마스터의 광역 마법이 잠시 그들의 발을 묶었다.

◆바츠 : 그럼 고.

그에 맞춰 뒤쪽에서 『발렌슈타인』이 공격했다.

맞고 싶지 않네. 이 공격.

"우왓, 넉백으로 광역 공격 안으로 집어넣었어. 그것도 한번에 셋이나."

"음. 미티어가 맞았군."

맞기만 한다면 마스터의 화력은 장난이 아니다.

직격한 미티어는 세 사람을 한꺼번에 날려버렸다.

"이번을 대비해서 스트라이크 대미지 : 플레임을 더블로 붙였으니 말이다. 화력이 한층 올라갔지!"

"또 그런 특화 인첸트를……."

바츠 씨 일행은 적의 반격이 시작되기 전에 난전을 빠져나와 마스터의 미티어가 내뿜는 이펙트 속에 숨어서 타이밍을 흐트러뜨린 뒤 재차 공격을 감행했다.

제대로 저항도 못 한 채 쓰러지는 『엠퍼러 소드』, 대략 25명.

◆바츠 : 아아, 완전 잔챙이잖아.

고작 다섯 명이서 다섯 배가 되는 플레이어를 쓰러뜨려놓고 그는 태연하게 말했다.

현재시각 13시 50분.

"남은 시간 10분인가."

"그러네."

마스터가 시계를 보자 세가와가 나른한 듯이 대답했다.

"재미없어~."

"…………."

아키야마는 이미 키보드에서 손을 놓고 있었고, 아코조차도 그다지 즐거워 보이지 않았다.

계속해서 찾아온 『엠퍼러 소드』도, 살짝 모습을 비춘 다른 길드도 『발렌슈타인』에게 완벽하게 무너졌다.

소수 정예, 연계가 뛰어난 페인 길드는 이렇게나 강하구나.

알고는 있었지만 상상 이상이다.

◆바츠 : 아~ 잔챙이들밖에 없어서 재미없네.

◆미즈키 : 칸토르니까요 ^^

◆코로 : 우리가 너무 강한 거겠지.

큰소리칠 만한 실력은 있지만, 이 성을 따내지 못해서 곤란해 하던 우리 앞에서 말할 것까진 없잖아.

"저기, 니시무라 군."

아키야마가 내 어깨를 찔렀다.

뭡니까. 얼굴을 너무 가까이 갖다 대면 무서운데요.

"이 사람들 역시 위험하지 않아?"

"그야 위험할 정도로 강하긴 하지."

"그게 아니라."

아키야마에게 호응하듯이 아코도 불안스럽게 고개를 갸 웃했다.

"저도 왠지 조금 불길한 느낌이."

"아, 아코도 알겠어? 뭐랄까, 정말로 좋지 않은 타입이야. 저런 사람."

"좋지 않다고 해도……."

너무 추상적이라 무슨 소리인지 잘 모르겠다.

"세가와, 어떻게 생각해?"

조용히 화면을 보고 있던 파트너에게 물었다.

그러나 믿음직한 파트너는 왠지 모르게 이런 얼굴 (˙ω˙) 이 되어 말했다.

"슈바인은 돼지니까 어려운 건 모르겠어."

"정신 차려, 세가와!"

란란이 됐어!

남에게 의존하기만 하는 이 망겜 같은 상황이 세가와의 마음을 란란으로까지 떨어뜨리고 말았어!

"(˙ω˙)할거야?"

"안 해. 출하해버린다, 너."

진짜로 돼지니까 태클걸기도 어렵다고!

"……뭐, 아무래도 좋아. 이제 엠블럼을 학교 마크으로 하고 스샷 찍으면 문화제 준비 끝이잖아. 편해서 잘됐네."

아~아, 하고 등을 쫙 펴는 세가와를 보며 마스터가 눈살을 찌푸렸다.

"방심하지 마라. 아직 끝난 게 아니야."

◆고양이공주 : 그 말이 맞다냐. 끝날 때까지 소풍인 거다냐.

"선생님 같은 대사네요."

◆고양이공주 : 너무하다냐)(

그 말대로 바츠 씨한테서 연락이 들어왔다.

◆바츠 : 그럼 우리는 마지막을 대비해서 마을에서 보급하고 올게. 바로 돌아올 테니까.

◆애플리코트 : 알았다.

발렌슈타인 멤버들은 마을로 귀환하는 아이템을 써서 돌아갔다.

"저들이 없는 사이가 위험하다. 돌아올 때까지 집중해서 방어를—"

마스터가 그렇게 지시를 낸 바로 그때, 우리 채팅창에 이런 문장이 표시되었다.

▶[발렌슈타인]과의 동맹이 해제되었습니다.◀

"……어?"

뭐야. 어떻게 된 거지?

동맹이 해제됐어? 저 사람들과?

"어, 공성전 중에 동맹이 해제되기도 해?"

"길드 멤버 전원이 마을로 돌아가면 가능하다."

"그, 그렇다는 건. 즉, 저기."

아코가 조심조심 물었다.

"이렇게 동맹이 해제되면 어떻게 되나요?"

"그 녀석들의 공격이, 우리에게 맞는 거야."

"그럼 이제 완전 망한 거 아닌가요?!"

망한 것 같지, 응.

"그치? 내가 말했잖아? 위험하다고."

아~아, 라며 아키야마가 쓴웃음을 지었다.

아키야마의 감을 믿을 걸 그랬어.

"아직 뭐가 일어날지 모른다."

마스터는 그렇게 말했지만, 그치만 너무나도 잘 예상이
됐다.

◆고양이공주 : 바로 돌아온다고 말했었다냐.

"그렇죠……."

그리고 크리스털을 지키는 우리 앞에 바츠가 나타났다.

동료는 없다.

단 한 명의, 그러나 최강의—『적』이다.

◆애플리코트 : 무슨 속셈이냐, 바츠.

◆바츠 : 속인 건 미안하지만, 일이라서 말이지. 죽어줘야
겠어.

바츠는 씨익 웃으며 검을 들었다.

◆애플리코트 : 함정……이라고?! 이럴 수가!

마스터는 손을 확 펼치면서 경악에 휩싸여 표정을 일그러

뜨리며 말했다.

왜 그렇게 쓸데없이 분위기를 타는데!

◆바츠 : 상대는 나 하나야. 어디 막아보시지ㅋ

◆애플리코트 : 요격!

"간단히 말하지 말라고!"

솔직히 막을 수 있을 것 같지 않았다.

대인전에서 인원수는 압도적인 힘이긴 하지만, 최강의 단독 전력 역시 압도적인 힘이다.

이렇게 말하긴 그렇지만, 잔챙이 모임인 우리가 한꺼번에 덤비더라도 이길 수 없는 상대가 존재한다.

"이게 들어가면 찬스는 있을 거야…… 젠장!"

어떻게든 스턴만이라도 먹이기 위해 휘두른 배시는 빗나갔고, 유유히 빠져나간 곳에 있던 세테 씨가 일격을 맞고 쓰러졌다.

◆세테 : 바츠 너무해~.

아키야마가 탄식하면서 양손을 들었다.

"이 자식, 건방 떨지 마!"

세가와가 대검을 휘둘렀지만 모션과 사거리가 완벽하게 읽히고 있었다.

슈가 대검을 휘두르기 위해 움직인 몇 걸음, 그 이동 타이밍에 돌격 스킬이 꽂혔다.

◆고양이공주 : 냐앗!

고양이공주 씨의 회복으로 곧장 재정비하긴 했지만, 고양이공주 씨를 중심으로 우리와는 대각선상으로 움직이는 바츠에게 일격도 넣을 수 없었다. 그대로 고양이공주 씨가 쓰러졌다.

◆고양이공주 : 원통하다냐…….

"같이 가자!"

"내가 맞출게!"

슈의 타이밍은 안다.

이 상황에서 잔기술을 쓸 녀석이 아니다. 돌격 스킬 캔슬 후 광역 기술로 끝을 보려고 할 터.

"네가 말 한대로 란란해주겠어. 이거나 먹어랏!"

슈바인이 허리 부근으로 내린 대검을 크게 휘둘렀다.

범위는 넓다. 피할 수 있는 타이밍이 아닐, 터였지만.

카운터! 카운터! 카운터!

"거짓말이지?!"

"저걸 카운터할 수 있는 거냐!"

대검을 회전시키는 공격은 대미지 판정이 세 번 있다.

그 판정이 나온 순간에 맞춰 카운터가 세 방 들어갔다.

그런 게 가능한 거냐. 게시판에서도 들은 적 없다고?!

"이거 무리야~."

슈바인 자신의 화력까지 더해진 3연격에 공격한 본인이 쓰러졌다.

"젠장!"

아직 배시의 쿨타임이 끝나지 않았다. 스턴은 넣을 수 없다.

아니, 설령 들어간다 해도 나 혼자의 화력으로는······.

"무~리~다~!"

때려도 베어도 몸통 박치기를 해도 전부 빗나간다.

무참하다고밖에 할 수 없는 상태로, 나 역시 당했다.

◆바츠 : 마지막 한 명.

◆애플리코트 : 큭!

영창을 하던 마스터의 마법이 발동하기 전에 바츠가 육박
했다.

한 방은 견뎠다. 두 방도, 세 방도, 네 방도.

사냥 전문 마법사로서는 그 위협 속에서 잘 버티고 있었다.

대단하지만— 그뿐이었다.

◆애플리코트 : 이건 말도 안 돼에에에에에에에에에에에!

"마스터, 단말마가 완전히 악역이거든."

"제어할 수 없는 용병한테 등을 찔린 임금님은 꼭 저런 절
규를 하더라."

우리의 크리스털이 깨져버렸다.

▶[칸토르 소성]을 [발렌슈타인]이 점령했습니다.◀

◆바츠 : 너무 쉽잖아ㅋ

◆애플리코트 : 큭, 어째서냐. 바츠. 왜 배신했나?! 충분한
보수를 약속했을 텐데! 이 성에서 얻을 수 있는 수익보다 훨

씬 많지 않나!

　◆바츠 : 돈 같은 건 아무래도 좋거든ㅋ

　바츠는 그렇게 말하며 우리를 내려다봤다.

　◆바츠 : 어딜 봐도 여기서 배신하는 편이 재미있잖아ㅋ

　그리고는 완전 웃기지? 라며, 말 그대로 웃으며 말했다.

　▶지금 시각을 기해서 공성전을 종료합니다.◀

　공성전 종료 메시지와 함께 각 성의 소유자를 통지하는 안내 문자가 흘렀다.

　물론 그중에 앨리 캣츠의 이름은 없다.

　젠장. 마지막 10분을 버티지 못했다지만, 이렇게 비참하게 끝나다니.

　◆애플리코트 : ……그렇군, 그런 거였다면 어쩔 수 없지.

　공성전이 끝나고, 성 내부에서 죽은 플레이어가 자동 소생했다.

　조용히 일어난 마스터가 고개를 휙 들며 말했다.

　◆애플리코트 : 어디까지나 자신의 유열(愉悅)을 위해 배신한 거라면, 네 근성을 간파하지 못했던 내 그릇이 그 정도였다는 거겠지. 의외로 나도 그릇이 작군.

　◆바츠 : 어, 으, 으응?

　◆애플리코트 : 이 자리에서의 배신이 재미있었다고 한다면, 또 만날 날도 있겠지. 우리도 나름 유쾌한 인생을 걷고 있으니 말이다. 그럼 다시 만나자, 길드 『발렌슈타인』이여.

마스터는 그렇게 말하고는 돌아보지도 않은 채 당당히 성을 나갔다.

◆바츠 : ……시원스럽구만, 좀 더 날뛸 거라고 생각했는데.

◆루시안 : 우리 마스터는 사나이니까.

◆바츠 : 왠지 패배감이 드는데ㅋ

뭐, 상관은 없지만, 이라면서 검을 넣은 바츠는 영주의 의자에 앉았다.

◆바츠 : 그럼 여긴 내 성이니까.

◆슈바인 : ……빌어먹을.

슈바인은 한마디 툭 내던지고는 거친 발소리와 함께 영주의 방을 뛰쳐나갔다.

아~아, 저건 꽤 화가 났네.

◆바츠 : 저 정도는 보여줘야 진정된다니까.

◆루시안 : 댁도 복잡한 인간이구만…….

강하긴 하지만 성가시고, 그리고 역시 이상한 사람이다. 완전 폐인이야.

별수 없다며 어깨를 으쓱한 나도 발길을 돌렸다.

◆루시안 : 그럼 나도 돌아갈까. 아코, 돌아가자.

말을 걸자 구석에 숨어 있던 아코가 나왔다.

◆아코 : ……네.

그렇게 침울해하지 마. 별수 없으니까.

현대통신전자 유희부 두 번째 공성전은, 이렇게 처참하게 끝났다.

"냐아아아아, 또 이렇게 학생들에게 마이너스 방향의 추억이 늘었다냐아아아아아."

누구보다도 앞서 머리를 감싸 쥔 건 선생님이었다.

확실히 이번에도 쓸데없는 경험을 쌓긴 했지만.

"이것 역시 공부인 게 아닐까요."

"남을 믿으면 실패한다는 건 학교에서 배워야 할 게 아니다냐!"

학교에서 배워두지 않으면 나중에 고생할 것 같습니다만.

"그리고, 저는 꽤 후련해졌어요. 듣도 보도 못한 상대한테 기생해서 이겨도 재미없고, 아무 의미도 없으니까요."

"그러네, 우리답지 않았어. 단지…… 그 녀석들한테 한 방 먹었다는 게 순수하게 열 받긴 하지만."

"만난 순간부터 그런 느낌이 들었으니까 말해줄 걸 그랬어."

거기서 그걸 눈치채다니 역시 천재 리얼충.

처음 보고도 그걸 알 수 있다니, 정말 대단한 후각이다.

"이번에는 반성회도 필요 없겠군. 배신당해 패했다. 그것뿐이다."

"아~ 진짜. 완전 짜증 나. 나나코. 돌아갈까."

"음…… 왠지 불완전 연소라는 느낌이네."

"다음 주도 있다. 나는 포기할 생각이 없어."

그렇게 말하는 마스터는 여느 때처럼 자신만만한 모습으로 보였다.

적어도 겉으로는.

여기저기서 못을 박는 금속음이나 무대에서 춤추는 댄스 테마에 취주악부의 연습 소리 같은 것도 들리는 문화제 전의 학교.

소란스러운 주변과는 대조적으로, 나와 아코는 말이 없었다.

"꽤나 준비가 진척됐네."

"……그러네요."

"우리도 열심히 해야지."

"……그러네요."

"그런가요?"

"그러네요."

"…………."

왜 무시?!

내가 뭔가 잘못이라도 저질렀나?!

평소에는 내가 아코를 대충 흘려버리지, 아코가 나를 흘려버리는 건 드문 일이다.

깜짝 놀랐고, 왠지 쓸쓸하고, 꽤나 동요했다.

이건 설마 아코 나름의 밀당인가.

언제나 저쪽에서 다가오는 상대가 다가오지 않으면 신경이 쓰이는, 그런 것처럼.

아, 아니면 설마, 게임 속에서 약했으니까 헤어지고 싶다거나……!

아니라고는 단언할 수 없다. 발렌슈타인 녀석들한테 손도 발도 못 내밀었으니까.

"우우……."

조금 움찔움찔하면서 아코의 모습을 엿보자, 그녀는 아래를 바라보면서 툭 중얼거렸다.

"루시안, 죄송해요."

"잠깐, 이 타이밍에 왜 사과야?!"

진짜로 이별 선언?! 무섭잖아!

"저, 아무것도 못 했어요."

"……응?"

저기, 무슨 소리야?

"조금 전, 마지막에 무서운 사람이 덮쳐 왔을 때요."

겨우 고개를 살짝 든 아코는 나와 눈을 마주 봤다.

그렇게까지 몰려 있던 건 아닌 모양이다. 조금 면목이 없다, 정도.

"아아, 바츠가 마지막에 왔을 때 말이지."

"네…… 저, 그냥 보고 있을 뿐이었어요."

확실히 아코는 구석에 숨어서 그저 상황을 지켜보고 있었다.

아무것도 하지 못했던 건 사실이지만, 거기서 뭔가를 했다고 이겼을 것 같지는 않다.

회복 스킬이 닿는 거리에 아코가 있었다면 아마 세테 씨 대신 단칼에 베였을 거라고 생각한다.

"고양이공주 씨조차도 간단히 죽어버렸으니까, 결과는 전혀 달라지지 않았을 거야."

"그건 그럴지도 모르지만요."

어쩔 수 없다며 위로했지만, 그래도 납득이 안 간다는 모습이다.

"아코는 잘못하지 않았고, 책임감을 느낄 필요도 없어."

"책임감……하고는, 다르지만요."

뭔가, 저기— 라며, 내 눈동자 속에서 대답을 찾듯이 말했다.

"아마, 후회하는 게 아닐까. 그런 생각이 들어요."

후회라…….

확실히 분한 일이 많은 싸움이긴 했지.

"옛날부터 후회한 적이 무척 많았어요. 이상한 소리를 해서 미움받거나, 실패해서 혼난다거나, 불필요한 짓을 해서 민폐를 끼치거나, 그런 걸로요."

오후의 햇살을 받은 아코의 하얀 뺨에, 땀이 한줄기 흘렀다.

"하지만 대부분 제가 쓸데없는 짓을 한 게 원인이었어요. 제가 뭔가를 하면 언제나 결과가 엉망진창이 돼서…… 그래서 아무것도 하지 않기로 결심하고 살아왔는데요."

"응."

"그래서, 어째서 아무것도 하지 않았을까 하고 생각하게 된 건, 굉장히 오랜만인 것 같아요. 우리 크리스털이 눈앞에서 산산조각 나는 모습을 멍하니 보던 걸, 굉장히, 굉장히 후회하고 있어요."

아코는 그런 생각을 했던 건가.

아무것도 하지 못 했던 무력한 자신에게— 그 이상으로, 아무것도 하려 하지 않았던 자신에게 후회감이 든다는 건가.

그건— 그건, 매우 좋군!

"근사하고 좋은 경향이네!"

나는 아코의 등을 탁 두드렸다.

응, 좋은 일이야!

"네. 네에?"

"좋은 경향이야, 아코. 응, 나도 매우 좋다고 생각해. 레벨 업이라는 느낌이네."

"에, 에에? 그런가요?"

"그렇고말고! 나보다 대단해!"

"에에에에엑?!"

싫은 일에선 도망친다.

귀찮은 일에서도 도망친다.

자기한테 책임이 없는 일이라면 기본적으로 도망친다.

나나 아코는 그런 슬픈 생물이지만, 도망치지 않았다면 좋았을 거라며 후회할 수 있다는 건 큰 진보다!

"왜냐하면 나는 쓸데없는 짓은 안 하는 게 나았을걸~, 이라고 매일 생각하고 있거든!"

"매일요?!"

"누군가와 대화할 때마다 생각한다고. 아~ 조금 전 쓸데없는 소리 했구나~, 라고."

아코 말고, 라는 말이 머릿속을 스치긴 하지만 말이지.

"루시안도 그런가요."

"잠자코 있으면 실패는 하지 않으니까. 조용히 침묵하고 아무것도 하지 않는 편이 훨씬 나을 텐데, 라고 곧잘 후회해."

그런 의미에서, 그때 열심히 했으면 좋았을 거라는 후회는 귀중하다.

"어쨌든 좋은 일이야. 하지 않고 후회하는 것보다 하고 후회하는 편이 낫다는 명언도 있으니까. 명언이란 건 옳은 일이라는 거야."

"잠깐만요, 루시안."

응응 고개를 끄덕이던 내 옷소매를 끌면서 아코가 번쩍

손을 들었다.

"하지만 그 명언, 온라인 게임에서는 기본적으로 반대라고 생각해요."

"그런 건 굳이 말하는 게 아니야."

그런 의견은 듣고 싶지 않습니다.

나는 귀를 막으려 했지만 아코는 끈질기게 말했다.

"어제 루시안이 그랬잖아요. 그거요, 그, 대인용으로 HP가 오르는 이자나기의 예언을 인첸트할 때. 앞으로 한 번만 더 제대로 성공하면 5M 번다! 라면서 억지로 강행해서—"

"내 장비가 박살 난 이야기는 하지 마!"

그~만~둬. 듣고 싶지 않아!

"이전 단계에서 그만뒀으면 좋았을걸, 쓸데없는 짓을 하지 않았다면 그렇게……."

"말했지만, 말하긴 했지만!"

"저번 달에도 뽑기를 돌리는 마스터에게 낚인 슈가 레어가 한 개는 나올 때까지! 라면서 뽑기를 돌렸다가 안 했으면 좋았을걸! 이제 두 번 다시 뽑기는 안 해! 라면서 한 달만에 세 번째 뽑기 안 한다 발언을—"

"그러니까 말하지 말라고!"

그 녀석이 마스터의 과금벽을 고치겠다고 말한 원인이, 아마 본인의 의지가 약해서 그런 거라는 걸 일일이 지적하지 않아도 돼.

애초에 마스터에게 낚여서 한 번이라도 해버린 게 원인이라고.

"괜찮아, 게임이니까. 해보면 되잖아. 후회할지도 모르지만, 하는 순간은 즐겁다고. 아마도."

"굉장히 찰나적인 생각인데, 괜찮은 건가요?"

아코까지 걱정하고 있었다.

"그렇지만…… 다음에는 저도 열심히 노력해보려고 해요. 후회할지도 모르지만, 노력한 뒤에 후회할게요."

"응응."

이 얼마나 긍정적인 아코인가.

이런 것도 좋구나.

아코가 의욕을 내는 건 꽤 드문 일이긴 하지만, 왠지 귀엽다.

꼬옥 주먹을 쥐고는 힘내자면서 나서는 거.

"그러니까, 노력해서 이기죠! 기왕이면 후회하고 싶지 않으니까요!"

"그렇지!"

우리는 힘차게 끄덕였다.

그건 그렇다 치고.

"아코한테 이기겠다고 선언한 이상 대책을 세워야겠지."

아내와의 약속을 가볍게 깨버리는 남자는 곧바로 이혼당

한다— 그런 이야기를 들은 적이 있는 것 같기도 하고, 없는 것 같기도 하고.

어쨌든 이번 공성전은 마스터 주도다. 어떤 예정을 갖고 있는지 물어보자.

그렇게 해서 다음 날 점심시간. 학생회실로 찾아왔습니다.

누구나 문화제 준비에 여념이 없는 상황인 마에가사키 고등학교 안에서, 왠지 이 방만 조금 붕 떠 보이는 건 여느 때와 다름없었다.

여러모로 바쁠 테니까 학생회에서 뭔가 축제에 참가할 여유는 없는 걸까.

"계십니까~."

똑똑 노크를 했다.

"들어와라."

유려한 목소리가 돌아왔다. 달리 대답이 없었던 것에 조금 안심했다.

"실례합니다~."

"……뭐냐, 루시안이냐."

학생회실에는 마스터가 혼자 책상에 앉아 있었다.

혼자. 그래, 혼자서.

저기, 학생회는 마스터 말고도 사람 있지?

전부 혼자서 하는 거 아니야? 괜찮아?

"저기, 수고 많으십니다. 회장님."

마스터가 조금 피곤해 보여서 그런 말을 건넸다.

"그만해라. 소름 돋는다."

"……그래?"

한마디로 잘려나갔다. 애석하기 그지없습니다.

가끔은 괜찮지 않나 싶은데 말이지.

"그보다 근처에 누가 있으면 평범하게 회장이라고 부를 수도 있잖아."

"뭐냐, 남 눈치나 보기는. 신뢰와 경애를 담아 쿄우라고 이름을 불러도 상관없다만?"

마스터가 씨익 웃었다.

아, 이건 놀리고 있는 거군.

그걸 깨달았다. 그래서―.

"알았어. 쿄우."

진짜로 불러봤다.

"…………."

"…………."

"……말없이 부끄러워하지 말라고?!"

귀까지 새빨갛잖아. 마스터!

스킨십은 그렇게나 과도한 주제에 이건 부끄러워하는 거냐?!

"미안하다. 아버지 말고 다른 남성한테 이름을 불린 건 처음이라서 그런지, 조금 두근거렸다."

"두근거리지 않아도 되거든."

물리적으로 거리가 가까워지는 것보다 정신적인 거리가 가까워지는 게 더 두근거리는 타입인가.

미안하지만 플래그는 우리 성가신 아이만으로도 충분합니다.

"그래서, 무슨 용건이냐? 또 아코 군이 뭐라도 저질렀나?"

"일단 아코 기준으로 생각하는 걸 그만두자고."

나를 위해서도, 아코를 위해서도.

"공성전 일이야. 다음이 마지막이니까 조금 더 세밀하게 정해야 한다고 생각해서. 일하는 중이라면 나중에 다시 올까?"

"아니, 나도 그쪽 작전을 생각하던 중이었다."

그렇게 말하는 마스터의 손 근처를 보자, 칸토르 소성의 맵이 인쇄된 프린트가 보였다.

여기저기 좁쌀만 한 글자들이 적혀 있다.

역시 마스터는 아직 포기하지 않았군.

"그거 마침 잘 됐네. 다음에는 어떻게 할지 정했어? 할 수 있을 것 같아?"

"……솔직히 말하자면, 어렵다."

조금 등을 편 마스터는 천장으로 시선을 돌렸다.

"용병을 해줄 다른 길드를 찾으면 저번과 똑같은 작전이

되겠지. 한 번은 성을 빼앗을 수 있을지도 몰라. —하지만, 그 다음이 어렵다."

마스터는 그렇게 말하며 톡톡 펜으로 책상을 두들겼다.

언제나 침착한 마스터치고는 드문 동작이네.

"저번에 우리가 마지막 직전까지 성을 방어할 수 있었던 건, 오로지 길드 『발렌슈타인』 단독 전력에 의한 바가 크지. 압도적 소수 병력에 어찌할 도리 없이 패하는 대군이라는 건 자존심에 큰 상처가 되니까. 그들이 있는 것만으로도 중소규모의 길드는 손을 대지 않았어."

"무지막지하게 강했으니까. 거대 길드라면 분명 이길 수 있겠지만, 그런 짓을 해봐야 수지가 너무 안 맞고."

"MMORPG에서 플레이어 스킬의 차이를 체감한 건 오랜만이다. 사상은 둘째 치고, 실력은 높이 평가하고 있어."

마스터의 손 안에서 펜이 빙글 돌았다.

"나도 『애플리코트』의 강화를 서둘러야 할 것 같군. 공격을 맞아도 영창이 막히지 않을 장비는 준비해뒀지만……."

"샀어?"

공성전이 시작되고 나서 가격이 엄청나게 올라갔잖아. 그거 몇 M이나 낸 거야.

"그래도 근접 딜러가 밀착하면 손도 발도 내밀 수 없을 거다. 그때의 대비책이 필요해. 뭔가 좋은 생각 없나?"

"음, 리플렉트 포션 같은 게 있긴 해. 아머 나이트의 리플렉트 대미지를 한순간만 발동시키는 포션. 시간이 매우 짧고 가격이 몇 M 정도 들긴 하지만, 결정적인 순간을 위해 쓰는 사람이 있는 것 같아."

"흠. 기억해두지."

너무 자주 쓰진 마. 적자가 되니까.

"하지만…… 우리가 벼락치기로 노력을 해본들 그들 같은 에이스가 될 수는 없을 거다."

"그런 사람들은 그리 많지 않다니까."

"그게 문제다."

마스터가 무겁게 끄덕였다.

"그들처럼 소수 정예가 아니라 평범한 용병을 고용한다면, 단순한 집단전에 지나지 않아. 그래선 안 된다. 성을 차지한 직후에는 수많은 길드가 찾아올 거고, 우리는 거대 길드의 심심풀이 대상이 되어 뭉개질 테지."

"……그렇게 되겠지."

길드의 외교 관계는 복잡기괴하다.

작은 길드가 성을 갖고 있어서 공격해보니, 뒤에서 유명 길드가 원군으로 찾아와서 죽었다, 같은 일도 자주 있다고 한다.

공격해서 일단 빼앗는 것까지는 어렵지 않다.

그걸 지켜내는 쪽이 훨씬 큰일이다.

"저번에 싸운 『엠퍼러 소드』는 대형 길드와 조약을 맺고 있다고 한다. 명목상으로는 상호 불가침이지만, 성을 빼앗긴 경우는 대형 길드가 찾아와 성을 다시 빼앗아준다고 하더군."

"실질적인 동맹인가……"

고양이공주 친위대도 거기서 실패했던 걸까.

한번 기세를 타서 성을 공략해도 다음에는 이쪽이 당한다.

"보통 싸움에서는 방어전 쪽이 편하지만, 게임에서는 그렇게는 안 되지."

"몇 번 죽어도 괜찮으니까."

목숨이 하나뿐이라면 방어 쪽이 강하겠지만, 얼마든지 죽을 수 있는 게 전제라면 한 번이라도 붕괴할 경우 패배가 결정되는 방어 쪽도 결코 간단하지 않다.

"애초에 다시 용병을 고용한다는 것도 이전의 재탕이다. 저번처럼 동료를 함부로 대해서는 의미가 없어. 우리는 그런 길드가 아니니까."

"응. 세테 씨한테 미안했지."

아코도 이번만큼은 의욕이 있으니까 함께하길 바라고 있다.

모두 함께 노력하고 싶다.

설령 이기지 못한다 해도, 아코에게 『아무것도 하지 못했다』는 후회를 하게 만들고 싶지 않다.

"자, 그럼. 이제 어떻게 할까― 라는 게 문제로군."

"그러네."

몇 가지 생각해 둔 것은 있다.

이 상황을 타개하기 위해서는, 모두 함께 즐겁게 싸우기 위해서는—.

"예를 들어—."

제안을 하려던 내 앞에 마스터가 하얀 손을 내밀었다.

"아니, 말하지 않아도 된다."

"—엥?"

"루시안도 생각이 있는 모양이지만, 여기는 나에게 맡겨둬라. 원래부터 내가 꺼낸 기획이다. 내가 마지막까지 책임을 지겠다. 루시안까지 함께 짐을 짊어질 필요는 없어."

"짐이라고 생각할 정도는 아닌데."

남에게 전부 맡기는 쪽이, 동료에게 전부 맡기는 쪽이 훨씬 무거운 짐이라고 생각하는데 말이지.

"루시안도 처음 맞이하는 문화제 아니냐. 쓸데없는 생각은 하지 말고 눈앞에 있는 것을 즐기도록. 잡다한 일은 나에게 맡겨둬라."

그렇게 자신감 없는 『맡겨둬라.』가 마스터의 입에서 나오는 건 처음 들었다.

"하지만……."

"아아, 그보다도 오늘 부활동 말인데. 아코 군에게 부탁을 받아서 재미있는 취향을 준비했다. 평소보다 조금 늦게

와주겠나?"

"어, 어어…… 응."

마스터는 바로 화제를 바꿨다.

아코 이야기가 나오면 반사적으로 끄덕이고 만다니까.

"그럼, 잘 부탁하마."

"……알았어."

파고들 타이밍이 없다.

나는 납득하지 못한 채 학생회실을 나오게 되었다.

"그러니까, 이런 때라고."

좀 더 제대로 이야기할 수 있지 않았을까, 이렇게 말했으면 되지 않았을까, 내가 잠자코 있었다면 마스터는 의견을 들어주지 않았을까, 이런 후회가 든단 말이지.

마스터에게 들은 대로, 오늘은 좀 늦게 부실로 왔다.

불길한 예감과 좋은 예감이 동시에 드는, 그런 묘한 기분으로 문을 열었다.

"나 왔어."

"어서 오세요. 주인님!"

메이드복을 입고 은빛 쟁반을 든 아코가 반짝이는 미소로 나를 맞이했다.

"…………네."

반사적으로 문을 닫지 않았던 나도 왠지 성장한 것 같다.

익숙한 현대통신전자 유희부실, 안에 있던 건 익숙한 멤버.

그래도 그 복장은 전혀 익숙하지 않은, 검은색을 기조로 한 메이드 의상을 착용하고 있었다.

그것도 아코만이 아니다.

메이드장 포지션으로 이쪽을 바라보는 마스터도, 히죽히죽 웃으며 나를 보는 세가와도, 왜 있는지 모르겠지만 웃는 얼굴로 끼어 있는 아키야마도, 제대로 메이드복을 착용 중이다.

그것도 싸구려 같은 코스프레 메이드복이 아니라, 제대로 된 천이 사용된, 쓸데없이 고딕 풍인 메이드복이다.

이건 꽤 멋들어진 접대였다.

"어떠신가요? 주인님."

"아니, 저기."

게다가 아코 녀석, 포니테일인가.

이건 평소보다 화력이 높잖아!

평소에 보지 못했기 때문인지 귀가, 옆모습이 내 마음에 크리티컬 히트했다.

"어때 어때, 어울리지?"

아코의 머리를 다듬은 건 아키야마였나! 젠장, 불평할 데가 없어!

게다가 오타쿠도 아니면서 대체 왜 아키야마는 이렇게나 메이드복이 어울리는데? 옷에 맞춰서 미묘하게 머리나 화장을 바꾼 거 아니야?

"주인님, 자리에 앉으시죠."

"네, 네에."

약간 쑥스러워하긴 하지만 의외로 신 나 보이는 세가와가 나를 자리로 유도했다.

그대로 의자에 앉았다.

"주문을 정하셨으면 불러주세요."

"……네."

왠지 익숙하네, 세가와.

하지만 주문이라니 뭘 부탁하면 되는 거야, 라고 생각하고 있자니 마침 물컵을 얹은 쟁반을 들고 아코가 찾아왔다.

"물을 가져왔습…… 꺄악!"

"헛발?!"

그대로 내가 물을 얻어맞았어!

"잠깐, 아코, 넌 얼빵이 메이드냐!"

또 틈새시장을!

"죄, 죄송합니다. 주인님께 무슨 짓을!"

"네 얼굴에서 사죄의 마음이 전혀 보이지 않는다만?!"

굉장히 두근두근한 것 같은데? 아코.

"아뇨. 결코 그렇지 않습니다."

아코는 조금 연기에 힘이 들어갔는지 붕붕 고개를 내젓고 는—.

"무슨 일이든 하겠사오니 부디, 부디 용서해주세요."

"지금 뭐든지 하겠다고 했겠다?"

이게 아니라.

"네, 뭐든지…… 아아, 주인님. 글러먹은 메이드에게, 벌을 주시겠습니까?"

내 발밑에 무릎을 꿇은 아코가 그렁그렁한 눈망울로 말했다.

어, 뭐야. 벌 줘도 돼? 해도 되는 거야?

—그러니까 이게, 아니라!

"무슨 가게야? 이봐, 여긴 대체 무슨 가게냐고!"

"너 아코랑 평소에 뭘 하는 거야?"

"루시안 군의 비밀스런 얼굴을 봤어!"

"누명이야! 이건 아코의 못된 장난이라고! 자, 아코. 이제 됐으니까 일어서!"

다들 원래대로 돌아갔으므로 끝났다고 판단하고 무릎을 꿇고 나를 올려다보던 아코를 일으켜 세웠다.

아, 깜짝 놀랐다. 물을 맞았는데도 식은땀이 흐르더라니까.

"나 참, 어차피 이거 마스터 짓이지?"

"아코 군에게 메이드복을 부탁받아서 말이지. 기왕 이렇게 됐으니 모두의 것을 준비한 거다."

"그건— 굿잡!"

내가 절찬하자 마스터도 씨익 웃으며 엄지를 세웠다.

훌륭한 작업이라고 감탄을 할지언정 전혀 이상하지는 않았다.

"아코, 나중에 그 옷 입은 채로 잠깐 안아봐도 될까?"

"네? 아, 네. 물론이죠."

노타임으로 승낙해주는 게 기뻤다.

메이드를 안아볼 수 있다니 정말로 꿈만 같다.

꿈이 하나 이루어졌어.

"넌 사양을 안 하네……."

"허그허그 하는 거야?"

"허그허그 할 거예요!"

아코도 좋아하는 것 같으니 괜찮아. 이 안심감이야말로 내 신부다.

"그나저나 이 옷 어쩔 거야. 흠뻑 젖었는데."

"걱정 마라. 집사복이 있다."

"…………있어?"

"있지."

있지, 가 아니라—

왜 집사복이 있는데?

"사이즈는 물론 루시안에게 맞춘 것을 준비했다."

"어째서 내 사이즈를 알고 있는지 한 시간 정도 묻고 싶은데."

"그건 신체검사 데이터를—"

"역시 듣고 싶지 않아, 듣고 싶지 않다고!"

학생회장이 부정을 저질렀다는 사실 같은 건 알고 싶지 않았다.

"그렇게 됐으니, 이거다."

자, 라며 건네받았다.

자, 라고 말해도 곤란한데.

"……요컨대, 이걸 입으라고?"

"음."

이 인간, 처음부터 그럴 예정으로 아코한테 물을 끼얹게 만든 건가.

의기양양한 얼굴의 마스터는 물론이거니와 히죽히죽 웃는 세가와도 열 받는다.

너희들이 그럴 마음이라면 나도 결심을 해야겠군!

"……좋아. 입어주마!"

"간단히 납득했어?!"

"지고만 있을 내가 아니야! 해주겠어. 오픈 오타쿠의 바닥을 기는 자존심을 얕보지 마!"

"이렇게 멋대가리 없는 다짐은 처음 들었어."

시끄러. 내버려 둬.

애초에 네가 그런 소리 할 처지냐.

"그렇게 됐으니, 갈아입을 테니까 나가줘."

세가와의 어깨가 움찔 흔들렸다.

"……뭐?"

"차가우니까 빨리 갈아입고 싶다고. 뭐야 너, 내가 갈아입을 동안 계속 보고 있을 셈이냐?"

"그, 그치만 봐봐. 나, 이 꼴로 밖에 나가라고?"

"드디어 깨달았나. 자신이 빠진 함정을."

"잠깐 잠깐, 아코는, 아코도 이 옷 입고 밖에서 기다리라는 거야?"

세가와가 싱글벙글 웃으며 나를 보는 아코를 가리켰지만.

"아코는 그냥 있어도 되는데."

"불합리해!"

"이제 와서 옷 갈아입는 것 정도로 오들오들 떠는 우리라고 생각했나!"

"숨길 건 아무것도 없는 사이라고요!"

그렇게 단언하긴 했지만, 아코가 눈앞에서 갈아입는다면 나는 전력으로 도망칠 거다.

"아아, 진짜 짜증 나. 오랜만에 니시무라를 죽이고 싶어졌어."

"뭐야, 그 얼마 전까지는 빈번하게 죽이고 싶었다는 말투는."

파트너가 나에게 살의를 품고 있었다는 것이 발각됐다.

알고 싶지 않았던 사실입니다.

"그 이상 위협하면 아카네가 빠앙 터질걸?"

아키야마가 어깨를 떨면서 말했다. 확실히, 빠앙 터질 것 같네요.

"—그런 농담은 제쳐놓고. 나는 일단 나가 있을 테니까 셋다 교복으로 갈아입어."

"너 말이야……."

"저는 이대로 있어도 괜찮아요!"

"마음대로 해. 끝나면 불러줘."

바깥으로 나가서 문을 닫았다.

양손에 들고 있던 집사복이 왠지 무겁게 느껴졌다.

해야만 하는 건가, 집사.

집사는 무슨 말을 하는 거였더라.

"다 갈아입었나요?"

"그래, 괜찮아."

메이드복을 입고 복도에서 기다린다는 고행을 즐겁게 넘긴 아코에게 대답하고 넥타이를 꽈악 조였다.

자, 맞이해 주마. 어서 와라!

"어떤 느낌인가요. 루시안!"

"……와아."

"호오, 꽤나 어울리는군."

그렇게 말하며 들어온 네 사람에게 나는 반짝이는 미소를 보냈다.

"어서 오십시오. 아가씨들!"

멋진 미소와 멋진 목소리로, 의기양양하게 말했다.

"…………"

"……………"

"……?"

"……푸흡."

웃었어. 마스터가 웃었어! 뿜었다고!

"잠깐, 나는 웃지 않고 이야기에 편승해줬잖아! 그쪽은 웃다니 너무하지 않아?!"

"미, 미안하다. 너무…… 너무 잘 어울려서……."

빈말과 아유의 경계선을 공격하는 건 그만둬!

"루, 루시안……."

그리고 이쪽은 왠지 눈동자가 반짝반짝 빛나는데?

"저, 저기, 저기 저기! 저는 아가씨가 아니라 사모님이라고 불리는 쪽이!"

이쪽은 완전 신 났네!

이건 이것대로 귀찮아!

"저기 저기, 집사는 이런 거야?"

"그만둬. 굉장히 순수한 흥미의 시선으로 보지 말아줘!"

"자자, 좀 더 아가씨라고 말해줘."

"우와아아아아아아아."

집사 카페의 존재도 모르는 것 같은 아키야마의 시선이

따가워!

그리고 마지막으로 세가와가―.

"…………흐응."

"뭐야, 그 미묘한 얼굴."

"……아니, 뭐랄까, 조금 기뻤던 내가 짜증 난다고 할까."

그 리액션이 제일 열 받아!

대체 뭐야 정말!

하지만 다소 재미있는 반응이어서 해봤던 보람이 있었다고 생각한 나는 조금 쉬운 녀석일지도 모른다.

"그런데 그 메이드복, 아코네 반에서 쓰는 거잖아? 다른 것도 준비해뒀어?"

"물론이지, 우리들 것 말고는 프리 사이즈지만."

마스터가 안쪽에서 꺼낸 상자에는 비슷한 메이드복이 잔뜩 있었다.

오, 이렇게 보니 정말로 완성도가 높다.

이건 세가와가 저도 모르게 분위기를 탈 만하네.

아코네 반 아이들도 좋아하지 않을까.

"잘됐네. 가장 귀찮은 부분이 끝났으니까 아코의 일도 대부분 끝났지?"

"…………그, 그러네요."

스윽 시선을 돌린 아코를 보고 깨달았다.

이건 거짓말을 할 때의 아코구만. 틀림없습니다.

"⋯⋯저기, 아코 양?"

"뭔가요? 루시안."

아코는 미묘하게 일그러진 미소와 함께, 변함없이 내 쪽을 보지 않는다.

"반 준비, 제대로 하고 있지? 메이드장이잖아?"

"⋯⋯네, 네에, 물론 하고 있는데요?"

아코가 딱딱하게나마 단언했다.

그러나 나는 계속 말을 이었다.

"라고, 반 녀석들한테는 말하고 있는 거지?"

움찔움찔, 아코의 몸이 떨렸다.

"그래서, 사실은?"

"그게 저기, 있잖아요."

"진척은 어떻죠?"

"진척이 없어요오오오오오."

아코가 무너졌다.

인정했어, 이 녀석. 자기 일을 방치한 걸 인정했어! 예상대로였어!

"아아, 정말. 나머지는 시간표 정하는 거랑 접객 매뉴얼 정도잖아. 대충 하라고."

"그치만, 그치만!"

아코는 메이드복 옷자락을 꼬옥 쥐고는 붕붕 고개를 흔들었다.

"근무 시간표를 정하라니 무리일 게 뻔하잖아요! 조금 용기를 내서 물어봐도, 사카이랑 같이 넣어줘~ 라든가, 마츠다랑 같이 하는 게 좋아~ 라든가, 급기야는 하기 싫으니까 타마키가 해줘~ 라니. 다들 제멋대로 말하기만 한다고요! 어떻게 정하라는 거예요!"

"그거 참 귀찮겠네."

"학교 일 같은 건 다들 그렇잖아."

세가와가 쓴웃음을 지었지만 아코는 한층 기세를 올렸다.

"애초에 저는 하고 싶지도 않았는데 다들 억지로 떠넘긴 거라고요! 왜 해야만 하는 건가요!"

아코는 기세 좋게 벌떡 일어나서 힘차게 주먹을 치켜들었다.

"이대로 문화제 직전까지 모르는 척 넘어가고, 당일은 도망칠 거예요! 이러면 대승리예요! 저는 아무 잘못 없어요!"

"너, 너 말이야. 또 반에서 붕 뜰걸? 그만둬."

"괜찮아요! 가능하지도 않은 걸 떠안을 바에는 혼자인 편이 나아요!"

"아코, 아코. 제대로 이야기하면 다들 해줄 거야."

"누구랑 어떻게 이야기를 하라는 건가요!"

아코가 우와아앙 울음을 터뜨렸고, 세가와가 별수 없다는 듯이 어깨를 으쓱했다.

"어떻게든 해줘, 니시무라."

"큭…… 하지만 마음은 이해가 가서 설득할 수 없어."

"아는 거야?!"

분명 설득 가능한 몬스터인데 설득 커맨드가 뜨지 않는, 그런 기분이다.

"그치만 이런 일 많잖아. 왠지 껄렁한 녀석들이 니시무라 이거 좀 해줘~ 라며 일을 떠안길 때 말이야. 내가 그걸 무시하면 니시무라 너 왜 이거 안 했어?! 라며 짜증 낸다고. 완전 불합리하지 않냐? 네가 스스로 안 한 게 잘못이잖아. 왜 내가 나쁜 놈이 되는데."

"맞아요! 고압적으로 이거 하라고 지시를 내렸으면, 못했을 때의 책임은 그쪽이 져야 하는 거잖아요! 그게 상사라고요!"

"옳거니!"

"이 녀석들은 글렀네."

"으, 으~음."

두 사람이 체념의 시선을 보냈다.

너무 실례 아니냐. 이 리얼충 그룹 녀석들아.

"애초에 아코 군이 요령이 좋지 않다는 걸 알면서도 맡긴 건 그쪽 반 아이들이다. 무슨 일이 생기면 그 책임은 그들이 져야 하겠지."

마스터도 가볍게 우리 편을 들어주었다.

"에엑, 마스터도 그쪽 파?"

"스스로 책임을 지지 않는 인간은 실패했을 때 불평을 말할 자격이 없지. 그리고 책임감을 가진다는 건, 모든 것을 스스로의 손으로 관리해야 한다는 거다. 아닌가?"

"……음. 뭐, 남 일이니까 상관은 없지만."

"그런가……?"

두 사람도 침묵했고, 이걸로 아코의 적은 사라졌다.

"……저는 나쁘지 않아요."

책망하는 사람이 다 사라졌건만, 어째서인지 아코는 변명하듯이 그 말을 반복했다.

"응. 나쁘지 않아, 나쁘지 않아."

나도 아코에게 동의했다. 동의는 하지만…….

"하지만 왠지 양심에 찔린다는 표정이네."

"……우우."

그렇게 괴로운 표정 짓지 마.

나도 남한테 잘난 듯이 말할 수는 없지만.

"어제 말했잖아, 아코. 후회했다고."

"……네? 성 말인가요?"

"그래. 그것과 마찬가지로…… 라고 말하는 건 내 주장에 반하긴 하지만."

게임과 현실은 다르니까.

하지만, 분명 이번에도―.

"아마, 후회할 거라 생각해."

너무 무겁게 들리지 않도록, 살며시 웃으며 말했다.

"문화제 날, 교실 구석에서 반에서 준비했던 것들이 엉망이 되는 모습을 멍하니 보게 되면…… 왠지 미안한 기분이 들지 않을까?"

"…………하지만, 그럼, 어떻게 해야—."

"평소대로 하면 되잖아."

"……네?"

아코에게 의문 부호가 떠올랐다.

모르는 건가.

현실도 게임도 똑같다고 하는 주제에, 이럴 때만은 다르다니까.

"곤란한 일이 생기면 넌 언제나 그랬잖아. 루시안, 어떻게 하죠? 라고 나한테 달라붙지 않았냐?"

"하지만, 이건 제 문제고."

"아코의 실수는 내 실수라고 말한 주제에."

"우우……."

아코는 힐끔 세가와를 보고, 마스터를 보고, 두 사람 모두 별수 없다는 표정을 짓고 있는 것에 조금 놀란 뒤— 마지막으로 나를 봤다.

"…………루시안, 어떻게든 해주세요!"

"말 잘했어!"

그 한마디만 있다면 아무 문제 없어!

"좋아. 빠른 편이 좋아. 지금 당장 가자!"

"네? 저기, 잠깐만요. 루시안?!"

아코의 손을 잡고 부실에서 나갔다.

메이드복 여자가 집사의 손에 이끌려 걷는 상황이다.

여기저기에서 킥킥 웃는 소리가 들렸지만, 내 알 바 아닙니다.

"어디로 가는 건가요?!"

"당연히 아코네 반이지."

"시, 싫어요!"

포기해. 가지 않고는 해결되지 않는다고.

"그런데, 가서 어쩔 거야?"

조금 부끄러워하면서 뒤에서 따라온 세가와에게 나는 웃으며 말했다.

"그야 당연히, 털어놓는 거지."

"이리 오너라!"

아코네 반의 문을 활짝 열어젖혔다.

부활동 시간인 이상 당연히 방과 후지만, 전시물과 메이드 찻집을 동시에 할 예정인 아코네 반은 많은 학생들이 머물고 있었다. 응, 딱 좋군. 고마운 일이야.

"어라, 타마키? 뭐야 그거, 메이드복?"

"준비된 거야? 꺄아— 귀여워~!"

"아, 그게, 저기."

"아~ 역시 머리를 올리는 편이 좋네."

"그치? 역시 그렇지?"

"이게 내 신부라고. 귀엽지?"

아니, 이런 이야기를 하러 온 게 아니다.

"그래. 메이드복이 와서 입혀봤어. 몇 벌 더 있으니까."

"다행이다. 메이드 카페의 간판을 만들고 있는데 옷이 없으면 어쩌나 했어."

"이거 타마키니까 어울리는 거지, 너희 여자들한테 어울리겠냐?"

"뭐어? 너도 루시안 군처럼 집사 할래?"

"아니, 나는 집사를 하는 게 아니거든? 그보다 루시안 군이라니 뭐야?"

아코네 반이니까 별수 없긴 하지만, 오히려 본명을 모르는 녀석까지 있는 것 같다.

그렇게 메이드복 차림의 아코한테 시선이 모이는 그때, 양손을 짝 맞댔다.

"—근데, 미안! 이것 말고는 전혀 준비가 안 됐어!"

"……뭐?"

"이것 말고라니?"

"아코가 담당하던 시간표 정하는 거라든가, 접객 매뉴얼 같은 건 한 글자도 못 했어!"

순간 반 전체가 쥐 죽은 듯이 조용해졌다.

직후—.

"뭐? 잠깐, 앞으로 일주일밖에 없는데?!"

"지금까지 뭐 한 거야?!"

"온라인 게임!"

"바보 아니야?!"

엄청나게 욕먹었다.

"어쩔 거야. 시간 없다고!"

"저, 저기……."

학생 몇 명이 따지고 들자 아코가 울 것 같은 표정이 되었다.

그런 표정 짓지 않아도 되니까, 미안하다고 고개를 숙이라고.

"미안. 어떻게든 해줘."

"에엑! 정말~, 늦다고!"

"잠깐 칠판 빌려줘, 빨리! 시간별로 표를 만들 테니까 그 시간에는 무리인 부분 써줘! 남자도 모두!"

"마츠이는 알바 하고 있지? 매뉴얼 갖다 주지 않을래?"

"그러면 혼난다고~. ……아, 학교에서 쓴다고 하면 괜찮으려나?"

왁자지껄 상담이 시작됐다.

"어, 어라……?"

반쯤 자기는 뒷전으로 밀어놓고 작업이 진행되는 것에 아코가 곤혹스러운 표정을 지었다.

좋아 좋아. 이러면 돼.

솔직히 말해서, 이렇게 될 줄 알았다.

일 하는 시간을 정한다, 이런 식으로 반을 한데 모으는 일을 솔선해서 하고 싶어 하는 아이가 몇 명 있을 거라는 건 예상이 갔다.

고등학생이면서도 부지런히 알바를 한다는 점을 자기 캐릭터로 만들고, 그걸 반에서 아이덴티티로 삼고 있는 아이가 이 기회에 움직일 거라는 것도 알고 있었다.

오픈 오타쿠는 이런 공작이 중요하단 말이지. 이런 건 특기라고.

"좋아. 이걸로 OK. 나머지는 모두에게 맡기면 괜찮겠지."

"저, 정말인가요?"

"아니 아니, 타마키가 인솔하는 거잖아?"

"그렇다네."

쓴웃음을 지으며 말한 누군가에게 아코를 맡기고, 나는 그룹에서 나왔다.

"필살. 미안, 무리니까 누가 좀 해줘 작전."

"어디가 필살인데."

바깥에서 보고 있던 세가와가 어이없다는 듯이 말했다.

"설령 누군가 해주지 않는다 해도 사전에 안 된다는 걸 알고 있었던 만큼, 전원이 죄악감을 느껴서 나는 그다지 혼나지 않아. 그 부분이 필살이지."

"한심한 필살이네."

세가와가 하아, 하고 한숨을 내쉬었다.

무례하기는. 정말로 중요한 기술이라고.

그때 이사나 씨도 처음부터 『혼자는 자신 없다.』라고 말했다면 아무도 개인의 책임을 묻지 않았을 거라고.

못하는 걸 못한다고 말하지 않으니까 혼나는 거다.

못한다면 처음부터 그렇게 말하면 되는 거라고.

"나는 온라인 게임에서 배웠습니다."

"뭔지는 모르겠지만 설득력 없거든?"

너무한데?

"나중에 내가 모두한테 부탁해도 됐을 텐데?"

"아키야마가 그렇게 나서면 불필요하게 비난이 강해진다고."

처음에는 몰라도 계속 호랑이의 위세를 빌리는 여우처럼 지내다 보면 바로 미움받는다.

도와주는 것도 같은 레벨의 상대가 하는 편이 좋을 때가 있다 이겁니다.

"이런데도 결국 어떻게든 된 걸 보니, 넌 진짜 쓸데없이 남들은 잘 보살펴 준다니까."

그렇게 좋은 건 아니야.

"딱히, 나만 그런 건 아니야."

그룹 한가운데서 오들오들 떠는 아코를 가리키며 말했다.

"만약 내가 비슷한 상황에서 끙끙 앓고 있었다면 아마 아코가 도와줬을 거야. 나의 루시안을 누가 좀 도와주세요! 라면서 우리 반에 뛰어들었겠지."

"…………."

세가와는 그럴 것 같네~, 라는 표정으로 침묵했다.

"그러니까 문제없어. 원래부터 타인 쪽에서 보면 커다란 문제가 아니니까."

"메이드복을 입은 채로 아코 군을 끌어내서 가장 큰 난관이었던 메이드복을 입수했다는 플러스 요소를 어필하고, 또한 평소와 분위기가 다른 문화제다운 의상의 아코 군을 전면에 내세우면서 마지막에는 주변에 도움을 요청한다. 그런 신랑이 있다면야 큰 문제는 아니겠지."

"이상한 분석은 그만둬."

나는 신부를 자랑하러 왔을 뿐입니다.

정말 귀엽다니까. 메이드복 입은 저 녀석.

"아, 루시안. 아코한테 남자가 접촉하고 있는데."

"진짜냐!"

너 이 자식 가만 안 둬! —아, 아코가 노려봐서 쫄고 있네.

저 녀석 남자하고는 진짜로 친하게 지낼 생각이 없구만.

"어쨌든, 솔직하게 도와달라고 말할 수 있다면 대부분 해결된다고. 나나 아코 같은 녀석은 자존심은 없는 주제에 어째서인지 다른 사람을 의지하지 않아서 손해만 보고 있으니까."

"정말 귀찮다니까."

"너한테 그런 소리 들으면 뼈아픈데."

리얼충 여러분에게는 참 폐를 끼치고 있습니다!

"다른 사람을 의지하지 않아서 손해만 본다, 라······."

그때 마스터가 한동안 허공에 시선을 던졌다.

"마스터?"

"······아니다. 그렇지. 루시안, 한 가지 부탁이 있다."

"마스터도? 뭔데?"

"이번 주말 공성전. 반드시 이기고 싶다. 어떻게든 해다오."

"············."

조금 놀랐다.

마스터라면 혼자서 어떻게든 하지 않을까 생각했었다.

하지만 이렇게 부탁을 받으니 괜히 더 의욕이 솟았다.

"좋아. 맡겨줘!"

나는 평소 마스터처럼 자신만만하게 말했다.

한번 해보자고!

"그럼 작전은?"

"아직 없는데."

"……그럴 것 같았어."

세가와가 별수 없다며 웃었다.

말할 것도 없지만, 너희들한테도 도와달라고 할거야.

그렇게 아코를 놔두고 부실로 돌아온 우리는─.

"어서 오라냐!"

"…………."

"…………."

"…………."

"…………."

고양이귀 메이드 고문 고양이공주 씨의 마중을 받았다.

전원이 말없이 문을 닫았다.

"……우리 반 일이나 도와주자."

"그러자."

"상황을 보러 돌아갈까?"

"나도 학생회실에 다녀오마."

"어, 어째서냐아아아아아아!"

활기찬 학교에, 슬픈 울음소리가 울려 퍼졌다.

3장

파이널 챌린저 XIV 신생 앨리 캣츠

◆루시안 : 그렇게 됐으니, 잘 부탁드립니다.

◆고양이공주 : 어째서인거냐?! 뭘 어떻게 하면 되는 건가냐?!

◆루시안 : 그건 고양이공주 씨에게 맡길게요. 아무튼 어떻게든 해주세요.

◆고양이공주 : 완전히 떠넘겼다냐아아아아아.

고양이공주 씨가 아연실색한 감정 표현을 던졌지만, 내 알바 아닙니다.

◆애플리코트 : 이, 이래도 괜찮은 거냐. 루시안.

◆루시안 : 괜찮아. 자기가 못하는 건 남한테 부탁한다! 무리인 건 무리니까 어쩔 수 없어!

◆애플리코트 : 그런 건가……?

애초에 말이지, 고양이공주 씨라면 어떻게든 할 수 있다고.

이날, 나는 마스터를 데리고 고양이공주 친위대를 찾아갔다.

이 길드는 전투 목적이 너무 특수해서 용병에는 어울리지 않다고 마스터는 판단했지만, 금전적인 이해관계가 아니라 평범하게 말이 통한다는 측면에서는 이렇게 편한 곳도 없다.

교섭 역할로 나온 †클라우드† 씨는 뭐라 말할 수 없는 표정으로 말했다.

◆†클라우드† : 고양이공주 님께서 부탁하신다면야 참가해도 괜찮다만, 그럼 우리에게 무슨 이득이 있는 거냐?

◆루시안 : 고양이공주 씨가 고양이공주 친위대 길드에 들어가 주신다고 하네요.

◆†클라우드† : 정말이냐?!

†클라우드† 씨의 머리 위에 엄청난 숫자의 하트 마크가 나왔다!

◆†클라우드† : 좋아, 너희들도 들었겠지! 지금부터 우리 고양이공주 친위대는 앨리 캣츠의 지휘 아래로 들어간다!

◆고양이공주 : 기다리라냐. 그런 말 안 했다냐! 들어간다고 인정한 적 없다냐!

◆고양이공주 : 고양이공주 씨가 고양이공주 친위대에 들어간다니 척 봐도 엄청 처량하다고 생각하지 않는 건가냐?!

◆†클라우드† : 그것 또한 여신.

◆고양이공주 : 말이 안 통한다냐아아아아아아.

◆루시안 : 이걸로 문제없음.

◆애플리코트 : 이래도 괜찮을까.

◆루시안 : 괜찮다니까. 실제로는 모두 함께 노는 데 필요한 이유를 원하는 것뿐이니까.

이긴다면 고양이공주 씨가 길드에 들어오니까 힘내자! 정도면 충분해.

사람을 움직이는 데 거금은 필요 없어.

특히 온라인 게임에선 말이지.

◆루시안 : 잡다한 상의는 고양이공주 씨한테 일임하자. 그럼, 다음.

◆†검은 마술사† : 동맹이라.

◆애플리코트 : 그렇다.

◆루시안 : 네. 이번 주 공성전만큼은 반드시 이기고 싶어요.

◆†검은 마술사† : 으음…….

다음으로 찾아간 곳은 믿음직한 †검은 마술사† 씨가 있는 곳이다.

어떻게든 이 사람의 길드와는 이야기를 해두고 싶었다.

고양이공주 친위대 사람들은 확실히 강하지만, 거대 대인전 길드 상대로 정면에서 싸울 수 있는 전력은 아니다.

중소 길드가 상대라도 방어전은 어려운 레벨이라서, 저번에도 간단히 패하고 말았다.

게다가 골수 대인전 길드가 아니므로 일요일 낮에는 평범하게 외출하는 사람도 있으니, 얼마나 인원이 모일지도 안정적이지 않다.

아직 우리의 승산이 높다고는 말할 수 없었다.

◆†검은 마술사† : 우리 『TMW』도 결코 편한 싸움을 하는

있는 건 아니야. 대요새 그란베르그를 차지한 『문벌 귀족』에게 고전하고 있지. 미안하지만 너희들에게 원군을 내줄 여력은 없어.

◆루시안 : 공격하지 않는다는 약속만 해주신다면 충분해요.

아무리 그래도 원군을 보내달라는 그런 큰 걸 요구하는 건 아니다.

불가침 조약을 맺고 있습니다! 라고 크게 어필할 수만 있다면 그것만으로도 충분한 억지력이 된다.

여기하고만 조약을 맺어두면, 그건 즉 산하에 들어간 거나 마찬가지니까.

◆†검은 마술사† : 그렇다고 해도 전력 차가 너무 큰데. 너희는 분명 4인 길드 아니던가?

◆루시안 : 아뇨. 고양이공주 친위대가 산하에 들어와 줬어요.

◆고양이공주 : 부탁합니다냐.

◆†검은 마술사† : 좋아, 알았다. 맺자.

◆고양이공주 : 냐앗?!

즉답이 나왔다.

주변 길드 멤버들과 상담조차 하지 않았다.

◆†검은 마술사† : 당신들은 적으로 돌리고 싶지 않으니까요.

씨익 웃으며 그런 소리를 했을 뿐인데, 고양이공주 씨는 온몸의 털을 곤두세우며 무서워했다.

◆루시안 : 이야~ 고양이공주 친위대 쓸데없이 유명하네요!

◆고양이공주 : 내 길드가 아니다냐…… 다 뜬소문이다냐…….

덕분에 도움이 됐는데요?

◆애플리코트 : 그럼 길드 『TMW』와 우리 앨리 캣츠는 불가침이라는 걸로 좋은가?

◆†검은 마술사† : 응. 그거면 충분해. 그럼 조약을 체결해볼까.

체결하자……는 소리는?

◆루시안 : 불가침입니다~, 라고만 하면 안 되나요?

◆†검은 마술사† : 당연하지!

딱 잘라 말했다.

그렇게까지 딱 잘라 말하면 내가 커다란 잘못을 저지른 것 같잖아.

◆†검은 마술사† : 먼저 이 홈페이지를 열어봐라.

어딘가의 URL을 건네받았다.

복사해서 열어보자 검은 마술사 씨의 길드 『TMW』의 홈페이지였다.

◆†검은 마술사† : 여기에 ID랑 비밀번호를 입력하고, 동맹 멤버로 로그인해줬으면 한다. 그러면 아래쪽에 조약 전문

이 있으니, 확인한 뒤에 서명 부탁한다.

◆루시안 : ……조약?

◆†검은 마술사† : 구두 약속만으로는 무섭잖아?

그런 소리를 해봐야 애초에 온라인 게임에서는 조약이고 자시고도 없는데.

◆루시안 : 아무 강제력도 없으니까 이걸 써봐야 의미가 없는 것 같은데요.

◆†검은 마술사† : 아니지, 아니지. 이렇게까지 했는데 배신한다면.

그는 씨익 웃었다.

◆†검은 마술사† : 뭉개버릴 대의명분이 생기잖아?

무서워!

이 얼굴, 완벽하게 『누가 좀 배신해주지 않으려나~.』라는 얼굴이야!

거대 길드는 이러니까 무섭다고!

◆애플리코트 : 아니, 잘 안다. 그래, 이런 게 중요한 법이지.

어라. 마스터는 즐거워 보이네.

이런 거 좋아하나?

◆애플리코트 : 이 조약문 3항 말인데. 동맹 소속 길드에 대한 적대 행위를 인정하지 않는다. 해당하는 행위를 했을 경우 해당 길드를 즉시 동맹에서 추방한다— 라고 되어 있군. 즉시라는 건, 추방에 있어 동맹 내부 회의 등이 치러지지

않는다는 것. 『TMW』의 단독 판단으로 동맹에서 추방시킨다
는 의미인가?

◆†검은 마술사† : 후후후, 불만인가?

◆애플리코트 : 아니. 그 점을 다른 길드도 알고 있는지에
대한 확인을 해두고 싶어서 말이지.

당신들 왠지 사이좋아 보이네요.

음모를 꾸미는 모습이 어울리는 2인조라는 것도 과연 어
떤가 싶은데.

◆루시안 : 그보다 고작 며칠만 결성되는 연합에 이런 조약
문 같은 건 아무래도 좋잖아…….

◆애플리코트 : 바보 같은 소리 마라. 이렇게 세세한 부분
을 정해두는 게 즐거운 것 아니냐!

◆루시안 : 그러십니까…….

이 사람도 성가신 부류네.

†검은 마술사† 씨는 폐인이지만 하찮은 배신행위 같은
걸 할 사람은 아니야.

◆†검은 마술사† : 아, 맞다. 공성전 중에는 원군을 보낼
수 없지만, 그 이외의 시간이라면 다르지. 다소 도움을 줄 수
있을 거다.

◆루시안 : 그 말씀은?

◆†검은 마술사† : 밤에 연습을 겸해서 홍백전을 하고 있
거든. 괜찮다면 참가해보지 않겠어?

◆루시안 : 그거 좋네요!

◆†검은 마술사† : 파고드는 게 어설퍼!

◆슈바인 : 으아아아아아아악!

파고드는 걸 미리 읽혔다.

슈바인의 몸이 바람 마법으로 찢겨나간다.

◆루시안 : 슈바인이 죽었다! 이 못된 놈!

◆†검은 마술사† : 대기소로 돌아가시지. 너에게는 신부가 있잖아.

◆아코 : 저, 계속 계속 루시안을 기다릴 테니까요!

◆루시안 : 그거 사망 플래그!

꺄아, 적의 대군이 코앞까지 왔어!

◆†클라우드† : 고양이공주 님을 지켜라!

지키기만 하지 말고 좀 싸워주시죠. 친위대 여러분!

◆고양이공주 : 나를 위해 적을 쓰러뜨리는 거다냐!

◆†클라우드† : 가자아아아아아아아!

엄청 간단하잖아?!

한마디 듣자마자 곧장 돌격한 고양이공주 친위대가 난전 속에서 녹아버렸다.

◆슈바인 : 파고든 뒤의 화력이 부족해…… 저금한 돈을 써서 그걸 살까…… 옥스 밴디트 소드…….

◆루시안 : 원거리 직업용 증뎀무기 들고 돌격이라니 너무

힘내는 거 아니야?

◆슈바인 : 그 정도 하지 않으면 저놈에겐 못 이겨!

이기지 않아도 되거든?!

상대해주는 †검은 마술사† 씨 길드한테는 근본적으로 못 이기거든?!

◆고양이공주 : 고양이공주 씨는 이제 여신이 될 거다냐. 다 포기했다냐. 아마테라스의 갑옷을 걸칠 거다냐.

◆루시안 : 그거 공격을 못 하게 되는 갑옷!

여신상이 탄생했어!

떠받들리기만 할 뿐 자기는 아무것도 하지 않는 사람이야!

◆아코 : 디버프엔 리커버리, 스턴에는 엑스댐, 디버프엔 리커버리, 스턴엔 엑스댐······.

◆루시안 : 정신 차려, 아코!

과연 연습이 되는 건지 아닌 건지······.

아무튼 우리는 즐겁게 연습 시간을 보냈다.

다만 적어도 †검은 마술사† 씨네 길드 사람들도, 고양이공주 친위대 사람들도, 다음 공성전까지만 어울릴 거라고는 말하기 힘들 정도로 친해졌다.

이 멤버로 열심히 노력하자. 노력하고 싶다. 분명 노력할 수 있을 것이다.

그리고, 이기고 싶다. 그렇게 생각할 정도로······.

◆†검은 마술사† : 이제 슬슬 결전이군. 우리도 『문벌 귀족』을 상대로 치고 나간다. 너희들의 승리를 기원하마.

◆애플리코트 : 그래, 서로 무운을 빈다.

길드마스터 두 사람이 굳은 악수를 나눴다.

싸움을 목전에 두고 †검은 마술사† 씨도 기합이 들어간 것 같다.

◆†검은 마술사† : 그건 그렇고 애플리코트 씨. 정말로 굉장한 장비군. 상당히 과금한 것 같은데?

◆애플리코트 : 무과금이다만?

◆루시안 : 왜 거기서 거짓말인데?!

◆애플리코트 : 아니, 무과금이다. 무과금이란 『생활에 무리가 없는 과금』을 말하는 것 아닌가?

◆루시안 : 그건 무과금이 아니야!

◆아코 : 그렇게나 과금해놓고 무리가 없다는 게 부러우면서도 질투 나요…….

◆루시안 : 진정해, 아코!

◆슈바인 : 됐으니까 빨리 가자고. 친위대와도 상의를 해야 하잖아.

슈바인은 바로 칸토르로 향했다.

그 뒤를 따라 마스터와 아코도 나갔다.

나도 가려고 한 그때, 뒤에서 †검은 마술사† 씨가 말했다.

　◆†검은 마술사† : 앨리 캣츠는 이 일전이 끝나면 대인전을 그만둔다고 했던가?

　◆루시안 : 오늘 이기기 위해서 하고 있는 거라서, 그럴 생각인데요.

　◆†검은 마술사† : ……그렇군. 아쉬운데.

　†검은 마술사† 씨는 그 말대로, 정말로 아쉽다는 듯이 말을 이었다.

　◆†검은 마술사† : 이 싸움이 끝나면 너희를 우리 쪽으로 끌어들이려고 생각했었다만.

　그것참 영광스런 권유다.

　하지만 아쉽게도, 그건 불가능할 것이다.

　◆루시안 : 아, 그건 무리일걸요.

　◆†검은 마술사† : 역시 무리인가?

　◆루시안 : 당연하죠. 우리는 앨리 캣츠라고요?

　당연하다면 당연한 그 대답에, †검은 마술사† 씨는 웃으며 끄덕였다.

　◆†검은 마술사† : 너희들이라면 우리 쪽으로 와도 충분한 전력이 될 거라고 생각하는데 말이지.

　◆루시안 : ……감사합니다.

　몇 주일이나 준비하고, 연습하고, 싸웠다.

　처음에는 무리라고만 생각했다.

하지만 우리라면 이길 수 있을지도 모른다. 지금은 그런 생각이 들었다.

††† ††† †††

"드디어 공성전 최종전이 목전에 다가왔다. 지금부터 최종 작전 회의를 시작한다!"

"시끄러워, 마스터."

"지금은 바쁘다냐. 나중에 하자냐."

작전 지도를 앞에 펴고 비장하게 말을 꺼낸 마스터에게 날아온 것은, 우리의 차가운 시선이었다.

"마스터도 빨리 조화 만들란 말이야."

"어떻게 만들어도 이상한 모양의 꽃이 만들어져요!"

"아코, 넌 대체 얼마나 손재주가 없는 거야……."

공성전에만 정신이 팔려서 부실 장식 같은 건 전혀 하지 못했다.

그걸 지금에 와서야 깨달은 우리는, 최종 결전 직전이 되어서야 깨작깨작 전시 준비를 시작했습니다.

"이것 봐, 아코. 이렇게 하면 괜찮은 느낌으로 만들 수 있어. 두 송이 합체 타입 완성!"

"어, 어째서 그렇게 예쁘게!"

"그야 코르사주 만드는 거랑 똑같으니까."

"코, 코르사주? 사보타주라면 특기인데요……."

"아, 그것도 특기~."

아키야마가 말하는 사보타주는 땡땡이가 아니라 파괴 활동 쪽이 아닐까.

"내가 란란하는 장면 스샷은 확대해서 전시하고 싶네. 슈바인한테 집중선을 붙일까."

"세가와를 부각시키는 걸, 강요받고 있는 거다!"

"……역시 집중선은 그만둘래."

그게 좋을걸.

"뭐, 뭐어 작업을 계속하면서 들어다오."

"그러니까 당신도 하란 말이야."

"그럼 당일 작전에 대해서다만."

"…………하아."

마스터도 정말 마이페이스다.

"작전은 3단계로 나뉜다. 제1단계는 성의 탈취. 현재 칸토르 소성을 소유하고 있는 건 『발렌슈타인』으로, 녀석들에게서 성을 빼앗는 게 목표다."

"무리잖아."

세가와가 질색하며 말했다.

확실히 그 사람들이 방어에 전념한다면 빼앗는 건 상당히 성가실 것이다.

"그 말이 맞다. 하지만 『발렌슈타인』은 전투광 용병 길드다. 방어전에는 흥미가 없다고 하더군. 성을 비운 채 방치하고 있을 가능성이 충분히 있다고 본다."

"응. 확실히 성은 텅 비어 있을 거야."

내가 그렇게 말하자 마스터는 고개를 갸웃했다.

"음. 어째서 아는 거냐?"

"물어봤거든."

"직접 물어봤다고?!"

왠지 깜짝 놀라네.

그야 그게 가장 빠르잖아.

성 지킬 거야? 라고 물어봤더니 그냥 대답해주던데.

"아코랑 같이 물으러 갔더니, 『방어는 재미없다고. 필사적으로 지키는 걸 떨어뜨리는 편이 즐겁잖아.』라고 그러더라."

"너희들은…… 아니, 이러니까 쓸데없이 폐인들에게 호감을 사는 건가."

확실히 아코는 교우 관계가 터무니없이 좁으면서도 가끔 누군가랑 친해지면 터무니없는 폐인이라는 경우가 있지만, 내 쪽은 그렇지도 않다고 생각하는데.

"그럼 작전의 제1단계는 텅 빈 성을 빼앗는 것이다. 이건 다른 길드와의 쟁탈전이 될 가능성이 높겠지. 먼저 빼앗겼을 경우는 우리가 공격하는 쪽이 되므로 그 경우에는 세테도 움직여줘야 할거다."

"네~에."

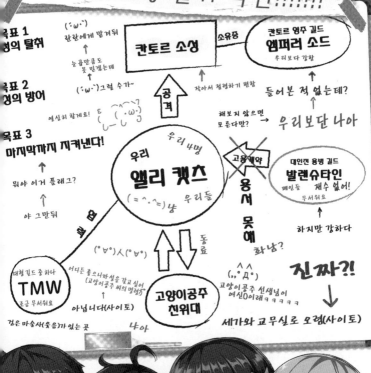

아, 아키야마를 세테라고 부르게 됐구나. 마스터.

저렇게 보여도 친한 사람들 말고는 은근히 냉담한 마스터가 조금씩이지만 동료라고 인정하기 시작한 모양이다.

"음. 잘 부탁한다."

쓸데없이 공을 들여 조화를 만들던 아키야마가 끄덕이자, 마스터는 말을 이었다.

"성을 탈취한 뒤는 작전 제2단계, 성 방어전이다. 여기서는 규모가 큰 길드에게서 성을 지키게 된다. 예상되는 상대는 『엠퍼러 소드』다."

"우리들이라면 이제 지지는 않을걸."

"고양이공주 씨와 모두는 강하다냐."

완전히 교주로 변한 고양이공주 씨는 자신만만했다.

"그렇게 생각하고 싶지만, 전장에서는 무슨 일이 일어날지 모르지. 모두 전력을 다해 싸우도록."

지당한 말씀.

『발렌슈타인』이 있는 상태에서 이겼다고 해서 우리만 있을 때 이길 수 있다고는 장담할 수 없다. 전력으로 임해야지.

"그리고 제3단계— 최종 방어다. 대형 길드는 준비나 연계도 필요하기 때문에 남은 시간이 짧으면 움직일 수가 없어지지. 그 대신 소규모 길드가 성을 노리러 오는 경우가 많으므로 이걸 꺾어야 한다."

"소규모 길드가 성 같은 걸 차지할 수 있어?"

의아한 듯이 물어본 건 세가와다.

"소수 정예라면 가능하지. 방어선을 무시하고 뛰어들어서 크리스털만 부수고 자기들 걸로 바꾸는 거다. 그 순간에 공성전이 끝나면 성은 그들 것이 되지."

"마지막 찬스를 자기 걸로 만들면 대박 터진다는 거네. 우리는 할 수 없는 작전인가~."

"우리는 질 수 없으니 말이지."

부활동 대항 이어달리기에 참가하는 걸 피하기 위해서는 확실한 승리가 필요하다.

우리는 결코 도박에 나설 수가 없다.

"참고로 마스터, 그런 소수 정예 길드는 꽤 많은 편이야?"

"소지한 자료에서는 『라스트 데이즈』나 『래빗 혼』이 그에 해당하는군. 파괴력이 뛰어난 소형 길드지. 그밖에는—."

데이터가 적힌 프린트를 손에 든 마스터가 침묵했다.

소수 정예 길드라면 대체 어디인가.

지금의 우리에게는 딱 하나밖에 떠오르지 않았다.

"—그에 대해서는 말해봐야 별수 없지. 오는 길드는 모두 확실하게 꺾는다. 그것뿐이다."

"임기응변으로 승부다냐!"

"그것도 우리답긴 하네."

"그러네요. 나중 일 같은 건 생각해본 적도 없고요."

아코는 조금 더 나중 일을 생각하며 살아줬으면 좋겠다.

"작전은 이상이다. 최종 결전은 내일. 『기교제』까지 앞으로 며칠이다. 모두의 건투를 기대하마."

마스터가 그렇게 끝맺자 모두가 오! 하고 합창했다.

지금까지 노력해온 모든 것을 시험할 때가 이제 눈앞으로 다가왔다.

좋든 싫든 긴장감이 높아지는군.

"그럼 마스터, 만족했으면 장식 시작해줄래?"

"……음."

그래 봐야 이런 막판에 와서 필사적으로 교실 장식이나 하고 있는 우리들 앞에서는 긴장감이고 자시고 없기는 하지만.

다음 날, 최종일.

우리는 당연히 부실로 집합했다.

자기 집 컴퓨터보다 훨씬 스펙이 높은 현대통신전자 유희부의 시설을 쓰지 않을 수는 없지.

역시 오늘은 고양이공주 씨도 불평하지 않았다.

"지금까지 열심히 했으니까 절대로 질 수 없어."

"무땅, 힘내자."

아키야마에게는 미안하지만, 무땅은 놔두고 왔으면 좋겠는데.

"루시안, 우리 반 아이들이 저는 열심히 했으니까 시간표에는 조금만 넣어도 된다고 말해줬어요!"

"오, 그거 잘 됐네."

"······빙 둘러서 전력 외 판정을 받은 것 아닌가?"

"후에에에에에엥."

"왜 쓸데없는 소리를 하는 거야, 마스터!"

"미, 미안하다."

아, 평소랑 똑같은 분위기다.

실전을 앞에 두고도 평소와 변함없는 이 느낌. 응, 할 수 있을 것 같다.

"그럼 구성이다. 장비는 어떤가?"

으음, 내 캐릭터 구성은 어떠냐면—.

"탱카라사와카라사와이자나미이자나미리플댐."

"경갑딜배틀배틀광역디법옥스원딜증뎀."

"힐카라사와카라사와아마테라스로자링로자링."

"LW버스트스트플스트플미티서브지정요청."

"PB."

"PB."

"SER."

"PB감사."

"감사."

좋아, 문제없군.

"이, 일본어로 말해주세요!"

그때 갑자기 아코가 울상을 지으며 화를 냈다.

뭐야, 왜 화내는데.

"너 지금까지 같이 연습했으면서도 모르는 거냐?"

"모르겠어요! 알 수 있는 여지도 없다고요!"

거짓말하지 마. 실컷 상담했잖아.

"그러니까, 나는 탱커입니다. MDEF가 상승하는 카라사와의 파문 인첸트 장비를 두 개 달고 있습니다. HP가 상승하는 이자나미의 예언 인첸트 장비를 더블로 달고 있습니다. 그리고 리플렉트 대미지로 반사시키는 걸 위주로 싸울 예정입니다, 라고 말한 거야."

내가 말하자 다음으로 세가와가 이어서 말했다.

"나는 경장갑 근접 딜러입니다. 물리 공격력이 오르는 배틀마스터 인첸트 장비를 두 개 달고 있습니다. 광역 디버프 효과가 있는 장비를 달고 있습니다. 옥스 밴디트 소드를 장비하고 있으므로 원거리 딜러에게 대미지가 잘 들어갑니다, 라고 말한 거야."

아연실색하는 아코를 보며 고양이공주 씨가 이어서 말했다.

"나는 힐러입니다. MDEF가 상승하는 카라사와의 파문 인첸트 장비를 두 개 달고 있습니다. 근거리 무속성 공격에 큰 내성이 붙는 대신 물리 공격을 못 하게 되는 아마테라스의 갑옷을 입고 있습니다. 회복력이 올라가는 로자리오 링을 두 개 달고 있습니다, 라고 말한거다냐."

아코가 마스터에게로 홱 눈을 돌리자 이번에는 마스터가 입을 열었다.

　"나는 로우 위저드입니다. 화염 대미지가 증가하는 버스트 링을 달고 있습니다. 화염 대미지가 증가하는 스트라이크 대미지 : 플레임 인첸트 장비를 두 개 달고 있습니다. 화염 대미지 스킬인 미티어를 메인으로 쓰고 있습니다. 서브 범위 스킬을 지정해주십시오. 라고 말한 거다."

　그리고 그 다음에는—.

　"빙속성 광역 공격 스킬 퍼펙트 블리자드가 좋습니다."

　"빙속성 광역 공격 스킬 퍼펙트 블리자드가 좋습니다."

　"무속성 광역 공격 스킬 소울 에너지 레인이 좋습니다."

　"퍼펙트 블리자드, 알겠습니다."

　이런 대화였다고?

　"미안해. 전혀 모르겠어."

　"우우우, 세테 씨만이 아군이라니 너무해요."

　"아코, 그 대접이 가장 너무하지 않아?"

　자자, 그쪽 두 사람은 마이페이스로 해나가는 게 가장 상태가 좋으니까.

　◆고양이공주 : 슬슬 집합 시간이다냐. 모이자냐.

　"좋아…… 가볼까!"

　◆루시안 : 알겠습니다.

　◆슈바인 : 오우!

◆아코 : 네!

◆세테 : 네~에.

◆애플리코트 : 그럼, 앨리 캣츠. 출격이다.

최종 결전의 시간. 칸토르 한쪽에 모인 건 총원 35명의 플레이어들.

길드 『앨리 캣츠』에서는 나, 아코, 슈바인, 마스터, 임시로 세테 씨까지 다섯 명.

길드 『고양이공주 친위대』에서 고양이공주 씨를 포함한 30명.

이전과 비교하면 조금 참가율이 높다.

물론 이런 곳에서도 강제 참가를 요구하지 않는 것이 우리의 방식이다.

와달라고 부탁하지도 않았건만 그래도 모두가 모여주었다.

◆루시안 : 어라, 피네 군은 안 왔네?

◆고양이공주 : 아이 운동회라고 한다냐.

◆루시안 : 그렇다면…… 탱커는 나뿐인가.

곤란하게도 나랑 같은 아머 나이트였던 사람이 결석.

그러면 퓨어 탱커에다 스턴을 쓸 수 있는 건 35명 중에서 나뿐인가.

아니 아니, 딱히 책임이 중대하다는 건 아니다.

이만큼이나 있으니까 얼마든지 커버할 수 있어.

"아코. 이번에는 버프 분배 잘 할 수 있겠냐?"

"저는 지휘관 쪽이니까 다른 사람한테 맡겼어요!"

"치사하잖아!"

일단 앨리 캣츠가 지휘하는 쪽이라는 걸 악용하다니!

"권력은 이렇게 쓰는 거잖아요?"

"마스터한테 이상한 걸 배우지 마."

상관은 없다만. 나 참.

◆애플리코트 : 다들, 준비는 됐나.

마스터가 전원 앞에 서서 채팅을 쳤다.

◆애플리코트 : 우리의 바람에 응해서 이만큼의 인원이 모인 것에 진심으로 감사한다.

◆†클라우드† : 우리들의 고양이공주 님을 위하여!

◆고양이공주 : 이번에는 확실히 부탁했다냐! 부탁했다냐! 하지만, 하지마아아안!

고양이공주 씨가 울고, 여기저기서 웃음소리가 새어 나왔다.

◆애플리코트 : ……고맙다. 우리 앨리 캣츠와 고양이공주 친위대 제군들. 이 자리에 모인 우리에게 길드의 구별은 없다.

마스터는 조용히 귀를 기울이는 우리를 둘러봤다.

◆애플리코트 : 앨리 캣츠(Alley Cats)— 즉 『길고양이』와 『고양이공주 친위대』! 우리는 하나! 오늘, 이 시간, 이곳에서만큼은 『길고양이공주 친위대』다!

마스터가 힘차게 주먹을 치켜들었다.

◆애플리코트 : 새벽의 수평선에 승리를 새기자! 길고양이 공주 친위대, 출격!

오오오오오, 하고 환호성이 울려 퍼졌다.

좋았어. 의욕이 넘친다!

"……앨리 캣츠는, 길고양이라는 의미였나요?"

아코가 작은 목소리로 물었다.

어, 이제 와서 그걸 깨달았어?!

"벌써 1년 넘게 길드에 있었던 주제에 무슨 소리야."

"아뇨. 전혀 몰랐거든요."

으음, 하고 생각한 뒤 아코는 작은 소리로 말했다.

"……길드에서 사라진 고양이공주 씨를 찾아서, 라는 의미로 이런 길드명을 만든 건 아니죠?"

"아냐아냐아냐아냐!"

왜 그런 이유로 길드명을 짓는데!

"우리가 모였던 그때, 전부 솔로였거든. 우리는 마치 길고양이 같지 않나 해서 앨리 캣츠가 되었던 거야!"

"그, 그랬던가요?"

"…………."

너도 그때 있었잖아…….

◆고양이공주 : 길고양이공주 친위대라니, 이름이 이상하다냐…… 완전히 고양이공주 씨가 한가운데 있다냐…… 고양이공주 씨는 지켜보는 역할이었는데…….

"괜찮은 것 같습니다만. 고문을 위해 부원이 노력한다. 아름다운 일 아닙니까."

◆고양이공주 : 납득이 안 간다냐…….

▶지금부터 공성전을 개시합니다.◀

공성전 개시의 안내 문자가 흘러나왔다.

길고양이공주 친위대, 처음이자 마지막 싸움이 시작됐다.

◆애플리코트 : 작전은 예정대로다!

마스터의 지휘가 날아들었다.

◆애플리코트 : 자원 채취조는 예정대로 자원을 모으고, 필요하다면 공성 병기에 사용할 것! 자재는 방어 중인 성의 수리에도 쓰인다. 낭비는 하지 말도록!

◆세테 : 다들~, 파러 가자~.

자원 채취조 리더인 세테 씨가 조금 레벨이 낮은 멤버를 이끌고 갔다.

텐션이 떨어지기 쉬운 그늘에서의 작업이라 주변 분위기를 잘 띄워주는 아키야마의 재능이 중요하다.

그녀와 함께라면 분명 다들 공성전을 즐겨줄 거라 생각한다.

이런 것도 중요하지.

◆유윤 : 성의 소유자인 발렌슈타인 말입니다만, 방어선에서는 보이지 않는다는 보고가…….

정찰조에서 보고가 들어왔다.

◆애플리코트 : 예상대로군. 전군 성으로 향한다!

『발렌슈타인』은 정말로 성을 지키지 않는 모양이다.

◆루시안 : ……아니 그보다, 유윤. 있었냐?

◆유윤 : 있었어! 이제 와서 눈치챈 거냐!

◆루시안 : 그러고 보니 너도 고양이공주 씨랑 친했던가.

그립네. 내용물이 남자였던 신부는 잘 지내나?

이렇게 우리는 텅 빈 성을 향해 진군했다.

당장 점령해서 방어로 들어갈 예정이었지만, 그렇게 잘 진행되지만은 않았다.

◆유윤 : 전방에 적군!

◆애플리코트 : 상대는?

◆유윤 : 『엠퍼러 소드』! 언뜻 봐도 30명 이상은 있습니다!

역시 왔구나. 『엠퍼러 소드』 사람들.

저번 주 바츠 일행한테 함락되기 전까지만 해도 성을 갖고 있었으니까. 이번 주에 오지 않을 리가 없다.

◆애플리코트 : 『발렌슈타인』 대책으로 증원을 한 모양이군. 예상보다 훨씬 숫자가 많아.

◆슈바인 : 끝까지 방해해 오는 녀석들이구만.

◆고양이공주 : 고양이공주 씨와 모두는 지지 않는다냐.

그래, 맞아. 숫자가 조금 적은 정도로 질 수야 없지.

◆애플리코트 : 그러나 이 타이밍이라면 저쪽이 먼저 성을 점령할 것 같군. 필요한 이들은 돌아가서 장비 변경! 방어 편성이 아니라 공격 편성으로 들어간다!

◆세테 : 공성 병기 준비할게~.

◆애플리코트 : 그래. 부탁하마!

각자 부지런히 움직였다.

공격이든 방어든 장비가 변하지 않는 나는 아직 편한 쪽인가.

◆세테 : 자이 나갑니다!

◆루시안 : 호위 나이트 갑니다.

아머 나이트지만.

세테 씨와 자원 채취조가 자이언트 캐터펄트를 작성하여 북쪽 외벽의 한 구석, 요격 대기 중인 마법사가 모여 있는 곳에 조준했다.

◆세테 : 파이어!

포격이 시작됐다.

하지만 자이언트 캐터펄트 한 기로 성벽은 무너지지 않는다.

이건 그저, 방어망의 한 모퉁이에 구멍을 뚫을 뿐이다.

◆애플리코트 : 근접 딜러 부대, 가라!

◆†클라우드† : 우리들의 고양이공주 님을 위하여!

◆유윤 : 이교도를 죽여라!

◆고양이공주 : 나에게 승리를 바치는 거다냐!

저 사람은 무슨 잔 다르크라도 되나.

이미 한 번 이긴 상대, 게다가 연계도 뛰어나고, 고양이공주 씨를 여신상으로 삼아서 의욕으로 넘쳐나는 고양이공주 친위대는 아무튼 강했다.

단번에 밀어붙여서 전선을 돌파했다.

그러나 성 안뜰에 만들어진 중간 전선은 튼튼했다.

"젠장, 교착 상태가 됐어."

"큰일인데. 좁은 전선에 화력이 집중되면 빠져나갈 수가 없어."

"인원 수로도 지고 있어. 광역 딜러만으로는 밀고 나갈 수 없겠어."

복귀한 적도 합류해서 상당히 두터운 방어선이 설치됐다.

◆루시안 : 그건 그렇고 아군이 적은데. 더 없어?

◆유윤 : 다수의 친위대원이 바깥으로 흩어졌어. 합류에 실패한 적 잔당을 쫓고 있다고 해.

◆루시안 : 전공에 눈이 멀기는!

◆슈바인 : 외야충 정말 짜증 나.

칫 하고 혀를 차는 소리가 들렸다.

야야, 심하잖아. 그리고 너 같은 중앙충이 남 말할 처지냐.

◆세테 : 자이 나갑니다.

◆루인 : 보병 자이 나갑니다.

◆카보땅 : 미끼 자이 나갑니다.

◆리미트 : 수송 자이 나갑니다.

◆아코 : 자이언트 캐터펄트가 뒤에서 산더미처럼 오고 있어요!

그래서 화살이랑 마법의 표적이 되고 있잖아!

그보다 그거 다섯 명 없으면 움직이지 않는다고! 그냥 서 있을 뿐이잖아!

◆애플리코트 : 이 상황에서 자이는 필요 없다! 레이스를 불러라, 레이스를!

◆루시안 : 됐으니까 나이트를 늘리라고! 전선이야 전선!

◆세테 : 자재가 부족해~, 자원 채취조의 증원을 요청한다~.

◆슈바인 : 자이가! 너무 많아서! 부족한 거잖아!

세테 씨의 장난기가 나쁜 방향으로 영향을 준 건가!

이래서 리얼충은 믿을 수가 없어!

◆루시안 : 젠장, 탱커가 부족해 탱커가. 돌격할 수가 없어.

밀고 당기기가 길게 이어졌다.

단순 근캐인 나에게 이 전장은 힘들다, 아무것도 할 수가 없다.

"루시안과 나의 짜증 타임이네."

"젠장, 차라리 돌격할까?"

"한다면 그건 내 일이야."

란란할까? 라며 세가와가 눈을 빛냈다.

넌 란란에 중독됐냐.

"무모한 돌격은 허락 못 한다."

"승산은 있어. 나도 이 3주간을 헛되이 보낸 게 아니라고."

"흠."

눈을 감고 고민하기를 잠시, 마스터가 수긍했다.

"뜻대로 해봐라."

"오케이!"

◆슈바인 : 너희들! 이 몸을 따라와라!

오오! 하고 짜증 타임을 견디고 있던 근캐 파티 일행들이 대답했다.

"좋아…… 나머지는 타이밍이네."

"타이밍? 타이밍을 만들면 되는 거야?"

마침 자이언트 캐터펄트가 부서졌기에 세테 씨가 다가왔다.

"나나코, 무슨 방법 있어?"

"응. 잠깐만."

아키야마가 탁탁 키보드를 두드렸다.

◆세테 : 조금 열심히 설득했더니, 검은 마술사 씨가 잠시만 와준다네.

◆세테 :

◆세테 :

◆세테 :

◆세테 : 오폭.

어, 뭐야 그 공개 채팅은.

지금까지 이야기하던 길드 채팅창은 적에겐 보이지 않지만, 이 공개 채팅창은 누구에게나 보인다. 『엠퍼러 소드』쪽 사람들에게도 완벽하게 보였을 텐데.

"니시무라도 아무거나 말해줘."

"아무거나라고 해도……."

◆루시안 : 거짓말입니다. 안 옵니다.

◆애플리코트 : TMW는 안 온다.

◆아코 : 괜찮아요~.

공성전 중이라고는 생각도 못 할 이 분위기는 대체 뭐야.

당연하지만, 이런 바보 같은 대화에 적들의 대답은 없었다.

"잠깐 기다려 봐, 이대로…… 응, 가도 돼."

"어, 지금 가면 돼?"

"응. 바로 가. 지금."

"아, 알았어."

◆슈바인 : 이놈들아. 가자!

슈바인과 몇 명이 앞으로 나서는 것과 동시에, 『엠퍼러 소드』의 방어진에서 몇 개의 채팅이 올라왔다.

절대로 안 와ㅋㅋㅋㅋ

구라 냄새 쩐다ㅋㅋㅋㅋ

블러프라는 레벨도 아니잖아ㅋ

『엠퍼러 소드』에게서 대답?! 이 타이밍에?!

"그치? 찬스지?"

"어떻게 대답이 오는 타이밍을 안 건데?!"

이 사람 너무 무섭습니다만?!

채팅 중인 타이밍을 완벽하게 찌른 슈바인 일행이 광역 공격의 탄막을 빠져나갔다.

그리고 좀 더 탄막 안쪽으로 돌진한 슈바인이 허리를 스윽 내렸다.

◆슈바인 : 먹어라, 필살!

그대로 크게 대검을 휘두른다.

"란란을 할 수 있다면 죽어도 상관없어! 두 번만 쳐도 흑자야!"

대미지 표시가 한 번, 두 번, 세 번, 그것이 몇 명 분량이 겹쳐서 표시되었다.

"이것이 나의, 아카네 스타일!"

"어디서 들은 적 있는데?!"

하지만 강하다. 단순한 란란이라고 얕볼 수 없다.

어차피 죽을 바에는 다 함께. 전선은 물론이고 후방 마법사들까지 쓸어버린 슈바인 일행은 죽기 직전까지 10초 동안 원 없이 날뛰었다.

◆애플리코트 : 전선을 밀어붙여라!

후방 부대가 앞으로 나섰다. 얇아진 탄막의 틈새를 누비고 이쪽의 탄막을 밀어붙인다.

"근접 딜러가 집단으로 앞으로 나가면 상당히 강하지만, 성과를 내지 못하고 죽어서 끝나는 경우가 다반사지. 그리고 죽어버리면 귀환할 때까지는 재미가 없고. 가라는 말을 듣고 망설임 없이 가는 병사는 그리 많지 않아."

크흐흣 하고 심술 맞게 웃은 마스터가 세가와의 등을 두드렸다.

"슈바인, 내가 모르는 사이에 부하들을 육성했구나."

"나를 얕보지 말란 말이야."

내가 안 보던 사이에 대체 무슨 일이 있었던 걸까.

그러나 일부분, 그것도 딜러가 무너진 집단이라면 우리라도 밀어붙일 수 있다.

호각이었던 전선을 쭉쭉 밀고 나갔다.

◆애플리코트 : 밀어내자! 녀석들의 리스폰 지점을 우리가 포위하는 거다!

잔인해!

『엠퍼러 소드』에겐 기세를 탄 길고양이공주 친위대를 막을 힘이 없었고, 드디어 크리스털 앞까지 도착했다.

◆슈바인 : 영차.

슈의 손으로 크리스털이 파괴됐다.

여기에 우리 크리스털을 넣으면 성을 점령할 수 있다.

◆고양이공주 : 여기에 고양이공주 씨의 크리스털을 넣으면 어떻게 되는 건가냐?

◆애플리코트 : 당신의 사회적 지위가 끝납니다.

◆고양이공주 : 아, 안 한다냐! 절대로 안 한다냐!

현실 쪽의 고양이공주 씨가 붕붕 고개를 내저었다.

무모한 짓은 생각하지 말아주시죠.

◆애플리코트 : 그럼…… 넣겠다.

▶[칸토르 소성]을 [앨리 캣츠]가 점령했습니다.◀

◆루시안 : 좋았어!

◆슈바인 : 해냈어!

◆아코 : 저번 주의 100배 정도는 기쁘네요!

◆루시안 : 그러네!

압도적인 달성감의 차이.

이거야 이거. 우리의 힘으로 손에 넣은, 이래야지만 성과라고 할 수 있지!

◆애플리코트 : 방심하지 마라! 지금부터 작전은 제2단계, 방어전으로 들어간다!

기뻐한 것도 한순간, 마스터는 곧바로 지휘로 돌아갔다.

◆애플리코트 : 이번에는 녀석들의 전법을 역수로 취한다. 조금 전까지 자원 채취조였던 이들은 녀석들의 자원 채취장을 노려라. 외야전에서 전력을 깎는 거다. 굴착사(死)를 허락

하지 마라!

굴착사(師)#3는 몰라도 굴착사(死)는 내버려 둬도 된다고 생각하는데?

그래도 전력이 소수인 우리는 자이가 엄청 오면 요새 외벽이 너덜너덜해져서 지킬 수가 없어진다. 자이를 조심해야 하는 건 확실하지.

◆유윤 : 자이 발견! 자이 발견!

◆†클라우드† : 자이 파괴 부대 출격! 쓸어버려라!

타이밍 좋게 자이언트 캐터펄트 발견 보고가 들어왔다.

우오오오오 하고 아직 울분이 쌓여 있는 근접 부대가 달려갔다.

힘내라~.

◆유윤 : ―윽, 전선 근처에 적 부대가 집결 중! 규모로 보아 주력이라고 생각됩니다!

"치잇, 자이는 미끼인가! 남은 시간은?!"

부실과 컴퓨터 시계를 보자, 어느 쪽도 시간은 13시 40분.

"남은 시간은 20분이야!"

"그렇다면 자이를 방치하는 건 위험한가."

마스터는 의자를 삐걱 움직이면서 자세를 고쳤다.

"그러나 녀석들의 규모를 생각하면 다음 공격은 없을 거

#3 굴착사 트레이딩 카드식 아케이드 게임에서 제대로 플레이하지 않고 짧은 시간 안에 카드만 많이 모으려고 하는 사람.

다. 이게 마지막이겠지. 그렇다면─."

그 자리에서 일어선 마스터는 손가락으로 나와 아코를 가리켰다.

"루시안, 아코. 별동대를 편성해서 녀석들의 배후로 돌아가라!"

"그건 『발렌슈타인』의 작전이야?"

"음. 이건 『엠퍼러 소드』가 한 번 당했던 작전이지. 큰 위험을 동반할 거다. 그러나 성공하면 우리의 승리지. 어떠냐. 해주겠나?"

힐끔 아코를 봤다.

"할게요. 저도, 도망치지 않을 거예요."

아코의 눈동자에 두려움은 있었지만, 그 이상으로 강한 결의가 있었다.

그런 아코의 손을 살며시 쥐고, 나도 고개를 끄덕였다.

"좋아. 하겠어!"

"음. 탱커와 힐러가 있는 이상 나머지는 근접 딜러로 모아다오."

"내 부하를 빌려줄게. 엉망으로 썼다간 용서 안 할 거야."

"너는 무슨 전국 시대 무장이냐."

쓸데없이 사나이답잖아.

◆유윤 : 본대가 전선으로 이동 개시!

◆고양이공주 : 친위대 방어선, 구축 끝났다냐!

◆루시안 : 바로 나갈게! 얘들아, 가자!

◆아코 : 살아서 돌아올게요!

나와 아코는 소수의 아군을 데리고 요새를 뛰쳐나갔다.

엠퍼러 소드의 시야 밖을 우회하듯이 후방으로 돌았다.

"침착해. 최악이라도 디버프만 해제해주면 나머진 우리가 알아서 싸울 테니까."

"네. 괜찮아요."

"목소리가 떨리고 있는데."

"그, 그치만, 무섭다고요!"

"실패하더라도 아무도 신경 쓰지 않을 거야."

"제가 신경 쓴다고요!"

필사적인 표정을 한 아코의 머리를 토닥토닥 두드렸다.

그렇게 부담 가지지 않아도 괜찮다니까.

◆유윤 : 『엠퍼러 소드』 주력과 전선이 충돌!

보고가 들어왔다.

"좋았어……."

아코의 머리에서 손을 떼고 잠시 서로를 마주 봤다.

◆루시안 : 가자!

◆아코 : 돌격이에요!

『엠퍼러 소드』의 후방에서 돌격한다!

돌진해서 날뛰고, 그러다 보면 아군이 쓰러뜨려줄 거야!

그렇게 믿고 돌격을 감행하던 우리를 본 적들이 빙글 방향을 바꿨다.

◆아코 : 루시안, 들켰어요!

◆루시안 : 요격이냐!

역시 들켰나!

반전한 일부 부대가 완벽하게 우리에게 조준을 맞췄다.

그래도 멈출 수 없다. 돌격이다!

◆애플리코트 : 우리도 돌격이다! 전원 앞으로!

"뭐어?!"

우리 돌격 부대가 요격당했다고는 해도 대부분은 전선을
유지하고 있다. 돌진해서 이길 수 있는 상황이 아닐 텐데,
아군 전선이 한데 뒤엉켜서 돌진해 왔어?!

"아니 잠깐, 왜 그래!"

"니시무라! 됐으니까 눈앞의 적을 쓰러뜨려!"

"말하지 않아도 그 정도밖에 못 한다고!"

난전 중의 난전. 대난전이다.

엄청난 수의 적, 아군이 뒤섞여서 뭐가 뭔지도 모르겠다.

"힘내~."

돌진하지 않은 세테 씨가 느긋하게 응원하고 있다. 아아,
정말. 즐거워 보이는구만!

아, 무땅이 죽었다.

"아코!"

"네!"

"내 위치를 알겠나?"

"어, 아, 저기…… 네!"

두 사람의 대화를 듣고 전투를 이어가면서 위치를 확인했다.

아코는 내 옆에 있다. 마스터는—.

"잠깐, 왜 로우 위저드 주제에 난전 한가운데에 있는데?!"

"하하하하하! 잘 들어라, 아코. 나를 보고 있어라. 나만을 보고 있어라!"

"무, 무슨 의미인가요?"

"이런 거다!"

애플리코트의 발밑에 거대한 마법진이 출현했다.

몇 번이나 봐왔던 마스터의 필살기, 자기중심 미티어.

"아니, 거기서 미티어를 쏜다고?!"

당연하게도 공격이 집중된다.

화살이, 검이, 마법이 마스터에게 날아왔다.

이러면 바로 당하는 게 뻔— 하지 않아?!

마스터는 황금의 오라를 내뿜으면서 그 모든 공격을 버티고 있었다!

아마 영창 방해를 받지 않는 장비를 하고 있을 거다. 하지만 저 내구력은 대체 어떻게 된 거야?!

"나를, 길드 앨리 캣츠의 마스터를! 얕보지 마라!"

영창이 쭉쭉 진행됐다.

설마 이런 무모한 짓을 하는 마법사가 있고, 또 그 녀석이 쓰러지지 않는다고는 누구도 생각하지 못했으리라.

무수한 공격을 당당히 서서 견뎌낸 마스터가 주문을 완성시켰다.

그 직전에—.

"아코!"

"—엑스트라 대미지!"

칭찬해주고 싶을 정도로 절묘한 타이밍이었다.

다음 일격에 한해서 대미지가 두 배가 되는 버프 효과가 마스터에게 걸렸다.

조금이라도 빨랐다면 버프 해제의 마법이 날아왔을 거고, 조금이라도 늦었다면 무의미해진다.

꽤 하잖아, 아코. 좋은 타이밍이었어!

"이것이!"

그리고 스킬이 발동한다.

"이것이!"

굉음과 함께 화면이 주홍빛으로 물들었다.

"이것이!!"

한계까지 높아진 두 배 화력의 미티어가 요새 천장을 깨부수고 난전 한가운데에 착탄했다.

"나의 화력이다아아아아아아아아!"

고성능 컴퓨터가 순간 멈출 정도로 막대한 대미지 표시가 겹쳤다.

우와, 렉 엄청난데.

아슬아슬하게 처리를 끝내고 돌아온 화면 안에는, 그 자리에 있던 적병 모두가 쓰러져 있었다.

단 일격으로 모든 것이 잿더미로 돌아갔다.

"……이게 뭐야."

바로 조금 전까지 메인 딜러였던 세가와가 어처구니없다는 한숨을 내쉬며 웃었다.

"역시 우리 길드는 마스터가 딜러네."

"핫핫핫핫핫."

모든 울분을 풀었다는 듯이 마스터가 드높이 웃었다.

축하해, 마스터.

"아코도, 굿잡."

"네!"

아코와 둘이서 꼬옥 손을 맞잡았다.

나도 어지간해선 잡을 수 없는 타이밍이었다. 엄청 집중했구나.

"으음……."

그때, 조금 멀리 있는 컴퓨터에서 선생님이 살짝 중얼거리는 것이 들렸다.

"타이밍을 생각하면 내 엑스댐도 같이 걸렸다고 생각한다냐……."

"하우우우우."

"선생님, 분위기 좀 읽어요."

거기서 왜 그 소리를 하는 걸까…….

남은 시간은 10분 남짓.

설령 다시 한 번 엠퍼러 소드가 와도 방어 라인이 무너질 시간이 아니다.

TMW와의 불가침 조약이 공개되었기 때문에 대형 길드가 굳이 손을 댈 가능성도 적다.

"이것 참, 어떻게든 이겼군."

"문화제 때문에 이렇게 고생하게 될 줄은 몰랐어."

"나도 조금 레벨을 올려둘까."

"우리가 활약하는 게 부러웠어?"

"으~음. 자원 채취조은 나 나름대로 활약했다고 생각하는데?"

하지만 말이지~ 역시~, 라며 아키야마는 조금 불만스러워 보였다.

"나중에 도와줄게."

세가와가 후후후 웃으며 의기양양하게 말했다.

"아코도 대활약이었어요!"

"정말로 이번만큼은 아코를 칭찬해주고 싶어."

솔직히 나보다 도움이 됐어, 아코.

"그렇죠? 상을 주세요!"

"왜 내가 상을…… 괜찮긴 하지만, 뭘 갖고 싶은데?"

"그건…… 저기, 그럼, 상으로 키스, 라든가!"

그러면서 문어처럼 입을 쭈욱 내밀었다.

분위기고 뭐고 없구만.

아무리 나라도 이건 좀 아니다.

"그럼 일단 머리를 잘라."

"왜 그런 엉뚱한 조건을 내미는 건가요!"

"선생님 앞에서 그런 짓은 하지 말아주겠니?"

"핫핫핫."

한껏 들뜬 우리를 바라보며 마스터가 가볍게 웃었다.

"신기하군. 저번 주에 패했을 때, 배신당했다는 걸 알았을 때는 그렇게나 분했는데 말이지. 자신의 한심함에 이를 갈기도 했고. 그러나— 지금 나는, 저번에 이기지 못해서 다행이라고 생각한다."

우리를 둘러보며 마스터는 말에 힘을 담았다.

"신뢰하는 동료와, 그 친구들. 등을 맡길 수 있는 전우와 어깨를 나란히 하고 싸웠고, 그리고 승리했다. 모두의 노력, 동료들의 유대, 함께 고뇌해왔던 시간이 우리를 승리로 이끌었다."

언제나 냉정한 표정이 일그러졌다.

마스터의 눈동자에서 한 줄기 빛이 떨어졌다.

"만약 이 의자를 손에 넣기 위해 시시한 돈으로 의뢰한 자들의 손을 빌렸다면. 만약 단 1원이라도 썼다면, 이런 마음은 들지 않았겠지."

"……마스터."

"……그렇지?"

"네!"

"그러네."

"응응."

저마다 끄덕이는 우리를 보며 마스터가 다시 한 번, 살며시 끄덕였다.

다행이다. 전부 잘 됐어. 열심히 한 보람이 있었다고.

나머지는 승리의 순간을 지켜볼 뿐이라 생각하며 화면으로 눈을 돌렸다.

◆유윤 : 적습! 적습입니다!

—거기서, 보고가 들어왔다.

"……이 타이밍에 적이라."

◆애플리코트 : 적의 진영은?

◆유윤 : 『발렌슈타인』의 엠블럼! 적은 다섯 명! 선두에 바츠가 있습니다!

◆애플리코트 : ……그런가.

눈을 감고 몇 초, 풀어져 있던 마스터의 표정이 단숨에 전투 모드로 변했다.

문득 주위를 보자 세가와도, 선생님도, 아키야마도, 아코까지 진지한 표정을 하고 있었다.

응, 아마 나도 그럴 거다.

"그래, 올 거라 생각했다. 바츠."

마스터가 평소처럼 씨익 웃었다.

"재미있으니까 배신했다— 그렇게 말했었지. 그런 이상, 우리가 끈질기게 성을 가지러 왔다면 그걸 박살 내려 오는 게 너희들의 쾌감이겠지. 그러나—"

◆애플리코트 : 넘겨주진 않는다!

그리고는 영주의 방에 모여 있던 고양이공주 친위대에게 말했다.

◆애플리코트 : 요격이다! 녀석들에게 우리의 저력을 보여주자! 단 10분 만에 이 성을 함락시킬 수 있으리라 생각지 마라!

좋았어어어어어!

간단히 당할 거라 생각하지 말라고!

◆루시안 : 좋았어! 해보자!

◆슈바인 : 어이 너희들, 이 몸을 따라와라!

◆세테 : 음…… 나는 이쪽에서 숨어 있을게. 아코도 이리 와.

◆아코 : 에, 에에엑?

◆애플리코트 : 그래도 상관없다. 슈바인을 포함한 기습

부대는 안뜰 뒤에서 대기. 발렌슈타인의 전법을 빌린다. 녀석들이 영주의 방에 도착한 타이밍에 후방을 찔러라.

"근데 원조한테 써서 과연 통할까?"

역시 부대장으로서 약한 소리는 할 수 없었는지, 채팅이 아니라 육성으로 물은 슈에게 마스터가 조금 씁쓸하게 대답했다.

"열화 카피라는 건 부정할 수 없지. 그러나 하지 않는 것보단 나아. 결코 쓸데없는 싸움은 아닐 거다."

확실히 정면에서 맞부딪혀서 이길 수 있는 상대는 아니다.

"조심해!"

"뭐, 맡겨두라고."

슈바인 일행이 안뜰 뒤에 숨었다. 그리고 잠시 뒤, 다섯 명의 적병이 나타났다.

◆유윤 : 발렌슈타인 녀석들이 왔습니다!

◆애플리코트 : 공격 개시!

마스터를 중심으로 광역 공격이 쏟아졌다.

아무리 그래도 논스톱으로 돌파는 할 수 없었는지 녀석들이 스피드를 늦췄다.

"좋아. 이 타이밍이다. 슈바인!"

"오케이!"

슈바인 일행이 앞으로 나선 순간이었다.

『발렌슈타인』이 포위 공격의 사거리 아슬아슬한 시점에서

스톱, 그대로 반전했다.

"윽!"

"안 돼, 들켰어!"

"각오한 바야!"

조금 전 내가 그랬듯이, 슈도 역시 망설임 없이 돌진했다.

하지만 그 돌진은 간단히 빗나갔고, 후방에서 집중 공격을 당했다!

"젠장, 역시 무리인가."

"무리, 아니야!"

"어…… 잠깐, 야!"

슈바인에게서 하얀 오라가 솟구쳤다.

잠깐 그거, 본 적이 있어!

"너, 그거 한 개에 500K나 하는 화이트 엘릭서잖아! 지금 대체 몇 개나 마신 거야?!"

"나도 말이야. 장난으로 싸우는 게 아니라고!"

다섯 명의 중심에서 허리를 내리고, 부웅 대검을 휘두른다.

대미지 판정이 한 번, 두 번, 세 번!

"란란! (˙ω˙)"

타락한 란돼지가 마지막 분투를 보였어?!

회전하는 대검에 주춤한 궁수를 향해 돌격 부대의 공격이 집중됐다.

아무리 『발렌슈타인』 멤버라 해도 그것엔 버티지 못했는지 다섯 명 중 한 명이 쓰러졌다.

그러나 그것까지가 한계였다.

돌격 부대는 한 명당 일격에 가까운 즉사.

분투했지만 기습 팀은 허망하게 전멸했다.

"이게 한계인가…… 나, 도움 안 되네."

"무슨 소리야. MVP라고."

◆애플리코트 : 방어선의 유지에 얽매이지 마라! 광역 공격으로 쓰러뜨릴 상대가 아니다! 앞으로 나설 타이밍을 그르치지 마라!

마스터의 지휘가 날아왔다.

그건 그렇다. 흔해빠진 전술로 쓰러뜨릴 수 있다면 그들은 최강이 아니다.

◆바츠 : 남은 시간은? 앞으로 2분?

이쪽의 사거리 아슬아슬한 곳에 진을 친 바츠는 아직 20명 이상 남은 우리를 바라봤다.

◆바츠 : 이 정도면 여유롭지ㅋ

인원 차이를 눈으로 확인한 뒤에도 녀석은 태연하게 단언했다.

"저 자식……."

대답을 해줘야 할지, 무시하고 들어가야 할지, 누구나 생각하던 그 한 순간—

긴박한 전선에 그림자가 드리워졌다.

슬그머니, 정말로 슬그머니, 어딜 봐도 약해 보이는 장비를 가진 캐릭터가 『발렌슈타인』의 네 명 속으로 들어갔다.

◆바츠 : 엥?!

나도, 아코도, 마스터도, 주위 친위대 사람들도, 바츠조차도 굳어진 상황에서, 그녀는 진형 한가운데로 쑥 들어갔다.

◆바츠 : 잠깐, 어이.

◆세테 : 얏호, 바츠.

의식의 바깥쪽, 이라고 말해도 좋을 타이밍이었다.

뭐가 어떻게 된 건지, 보고 있던 나조차도 전혀 모르겠다.

발렌슈타인의 조작이 신급이라면, 이 사람의 남의 의식을 읽는 기술도 신급이었다.

◆바츠 : 너 방해야!

적진으로 들어온 세테 씨를 본 적 네 명 모두가 스킬을 날렸다.

저렙인 세테 씨는 그야말로 순식간에 날아가 버렸다.

그러나 쿨타임이 발생한다.

스킬 모션이 생긴다.

다음 행동까지 타임 랙이 있다.

치명적인 빈틈이다!

◆세테 : 있잖아. 바츠. 남을 희생양으로 삼으면, 이렇게 되는 거야.

◆애플리코트 : 전진!!

"으랴아아아아아앗!"

길고양이공주 친위대 전군이 돌격을 걸어왔다.

군의 돌진은 완벽했다. 언제나 자기 뜻대로 공격해왔던 『발렌슈타인』이 처음으로 타이밍을 놓쳤다.

지금이다, 지금밖에 없다!

"여기서 놓쳤다간 못 이겨!"

"기합을 넣고, 내 10M 만큼은 노력해!"

맡겨두라고!

그보다 너 스무 개나 먹은 거냐! 낭비의 레벨이 아니잖아!

내 루시안이 선두에 서서 돌격했다. 스킬 경직을 모션 캔슬로 날려버린 바츠를 향해 일직선으로 달려가 그 기세를 타고 방패를 휘둘렀다.

첫 일격으로 스턴을 먹이면, 전원의 화력으로 해치울 수 있어!

"크으으으윽!"

간단히 빗나갔다. 뻔히 보이는 실드 배시를 맞을 정도로 물러터진 상대는 아니다.

하지만 그래도 상관없어!

뒤쪽에 있던 로우 위저드가 바츠 대신 내 방패를 맞았다.

◆루시안 : 스턴 들어갔어! ←여기!

매크로에 넣어둔 대사를 채팅창에 띄웠다.

직후 어마어마한 기세로 전 방위에서 공격 스킬이 날아왔다.

그러나 그럼에도 죽지 않았던 건 역시 대단했다.

스턴 효과 가운데서도 견뎌내고, 슈바인과 마찬가지로 화이트 앨릭서의 오라를 내뿜으며 나에게 반격 스킬을 날렸다.

"오냐, 스킬 고맙다!"

어마어마한 위력의 스킬이, 예상대로 리플렉트 대미지를 받아 부분적으로 반사됐다.

아무리 그래도 HP가 늘어난 내 루시안을 한 방에 죽일 화력은 없다.

주변에서 받은 대미지와 자신의 공격으로 늘어난 대미지를 그대로 맞은 로우 위저드가 쓰러졌다.

◆고양이공주 : 다섯 명 중 두 명 격파다냐!

◆애플리코트 : 이 거리라면!

마스터의 스킬이 발동했다.

앞으로 뛰쳐나온 바츠를 제외한 두 명에게 눈보라가 몰아쳤다.

둔화된 상태로 제대로 도망치지 못했고, 계속된 공격을 맞은 힐러계 직업 카디널 여성 캐릭터가 쓰러졌다.

◆고양이공주 : 남은 건 두 명이다냐!

◆고양이공주 : 아니, 냐, 냐냥?!

돌격해 온 바츠가 고양이공주 씨를 베어버렸다.

그러나 아마테라스의 갑옷은 역시나 강했다.

무속성 무기라면 어지간해선 죽지 않지만, 아무래도 실력은 상대가 뛰어났다.

일격을 날린 시점에서 눈치채고는 두 번째부터는 속성 무기의 공격이 날아왔다.

◆고양이공주 : 무리다냐아아아.

◆†클라우드† : 네 이노오오오오오오옴.

◆유윤 : 용서하지 마라아아아아아아아.

고양이공주 친위대가 덮쳐 왔다. 그러나, 바츠에게는 닿지 않았다.

한 명, 두 명, 세 명, 다섯 명, 일곱 명, 열 명, 어마어마한 기세로 아군이 줄어들었다.

큰일 났다, 나도 바로— 라고 생각해 달려가려던 순간, 쾅 하고 옆에서 공격을 얻어맞았다.

◆코로 : 안녕.

남은 한 사람, 나와 마찬가지로 탱커인 코로가 막아섰다.

"이런, 탱커랑 탱커가 부딪치면 진흙탕 싸움밖에……."

아니, 그렇구나.

스턴에서 이어지는 고화력 콤보를 넣지 않는 한 아마 바츠는 막을 수 없다.

그 스턴 공격이 가능한 건, 슬프지만 길고양이공주 친위대에서는 나의 루시안 한 명뿐.

나만 여기서 억누른다면 바츠는 무적이냐!

"빠져나가야 하는데…… 젠자아아앙!"

실드 차지로 날려버리려 했지만 간단히 회피당했다. 방패를 던져도, 검을 휘둘러도, 회피당하고 막히고 저지당해서 반대로 내 쪽이 대미지가 쌓였다.

플레이어의 실력 차이가 너무 심해!

이 녀석들 대체 실력이 얼마나 뛰어난 거야!

"니시무라, 빨리! 이미 크리스털을 지킬 수 있는 사람이 거의 안 남았어!"

"알고는 있지만, 이 녀석이!"

나보다 강한 녀석이 돌아가질 않는다고! 이건 대체 무슨 지옥이야!

아아, 정말. 방해란 말이야!

"걱정 마라. 아직 내가 있다."

그 말을 듣고 살짝 미니맵을 봤다.

마스터가 있다, 가 아니다. 이미 크리스털 앞에는 마스터밖에 없었다!

◆바츠 : 1분 남았고 앞으로 한 명, 완전 여유롭네ㅋ

◆애플리코트 : 그 채팅을 치는 동안 남은 시간은 55초다. 타이핑 속도는 아직 멀었군.

대화를 나눈 것도 한순간, 바츠가 마스터에게 파고들어 갔다.

마스터도 스킬을 썼지만 무리다. 그런 걸로 막을 수 있는 상대가 아니다.

"마스터!"

마스터가 바츠의 공격을 맞았다.

한 방, 두 방, 세 방, 대미지 표시와 스킬의 빛이 겹친다.

네 방, 다섯 방, 여섯 방……?

"어, 어라?"

마스터가 어째서인지 쓰러지지 않았다.

또다시 황금색 오라를 내뿜으며 그 자리에 우뚝 서 있다.

"마, 마스터? 살아 있어?"

그뿐만 아니라 엄청난 기세로 바츠의 HP가 깎여나갔다.

즉사 급의 대미지를 받으면서도 자잘하게 영창이 짧은 저 대미지 스킬을 써서 반격하고 있어?!

아니, 깎이는 게 소규모 스킬의 대미지 같지 않은데?!

"뭐야 그거. 어떻게 된 거야?!"

"아니 아니 아니 마스터, 이건 좀, 완전 말도 안 되잖아."

마스터의 화면을 본 세가와가 점점 새파래지고 있는데, 대체 무슨 일이 일어난 거냐고?!

◆바츠 : 잠깐 이리 와봐, 코로, 이 녀석 위험해. 스턴 넣어 줘 빨리!

"큭, 내버려 둘 것 같냐…… 윽."

아아악, 젠자아아앙!

실컷 회피당한 실드 차지를 왜 내가 맞아 버리는 건데!

넉백 때문에 마스터 반대편으로 날아갔다. 막을 수가 없다.

"마스터, 스턴이 와! 피해!"

"피할 수 있겠냐! 이곳에서 벗어나면 끝이다!"

"아무리 그래도 죽는다고!"

코로가 방패를 겨누고 휘둘렀다.

크리스털 앞을 떠날 생각이 없는 마스터에게는 피할 여지가 없었다.

그때, 그 눈앞에 핑크빛 그림자가 나타났다.

◆아코 : 안 돼요오!

퍼억, 하고 머리에 방패를 맞아 병아리가 춤췄다.

마스터가 아니라, 사이에 끼여든 아코의 머리에서.

"우우우, 아파 보여…… 아아앗, 죽었다!"

◆바츠 : 방해야!

분노에 몸을 맡긴 엉망진창 연격을 맞아 아코는 순식간에 죽었다.

하지만 그런 건 아무래도 좋아!

"잘했어 아코오오오오오!"

"나이스야 아코, 훌륭해!"

"에, 에엑? 죽었는데 칭찬받는 건가요?"

"당연하지!"

스턴 스킬은 강하다.

하지만 그만큼 다음 번 스킬을 쓸 때까지 쿨타임이 터무니없이 길다.

남은 10초, 한 번 더 쓸 수는 없을걸!

그뿐만이 아니다. 누군가가 끼어들어서 막혔다는 게 쇼크였는지 코로가 처음으로 빈틈을 보였다.

"좋았어어어어!"

루시안을 돌격시켜 그 기세로 코로에게 들이박아 둘이서 함께 영주의 방 끝까지 날아갔다.

가가가가각 하고 빛이 반짝였다.

대미지 표시와 마스터의 황금빛 오라가 겹친다.

달려가 봐야 시간에 맞추진 못한다. 하지만 방해하게 두진 않겠다.

"마스터, 부탁해! 이겨줘!"

◆애플리코트 : 하하하하하! 네놈의 힘은 그 정도냐, 바츠!

◆바츠 : 빌어먹을, 좀 죽어주라 진짜!

공성전의 끝이 가깝다. 이제 10초도 안 남았다.

◆루시안 : 쓰리!

◆슈바인 : 투!

◆아코 : 원!

이번에는 누구도 카운트를 방해하지 않았다.

◆애플리코트 : 제로다!

▶지금 시각을 기해서 공성전을 종료합니다.◀

종료 문자가 흘러나왔다.

빛이 사라졌을 때, 그곳에 서 있는 건 마스터와—.

◆바츠 : 거짓말.

쓰러진 바츠의 모습이었다.

성 내부에서 죽은 캐릭터가 자동적으로 소생됐다.

▶[제성 로드스톤]의 영주로 [TMW]가 취임했습니다.◀

그리고 영주 취임 안내 문자가 흐르기 시작했다.

쓰러졌던 길고양이공주 친위대 모두가 크리스털 주위로
모였다.

▶[대요새 그란베르크]의 영주로 [문벌 귀족]이 취임했습니
다.◀

▶[사이레인 신성왕성]의 영주로 [라스트 데이즈]가 취임했
습니다.◀

▶[모코모코 해상성채]의 영주로 [비밀 결사 알파카 목장]
이 취임했습니다.◀

▶[스페러너 공중회랑]의 영주로 [래빗 혼]이 취임했습니
다.◀

▶[가이오니스 산성]의 영주로 [테코츠]가 취임했습니다.◀

▶[라이소드 성당요새]의 영주로 [청소 조합]이 취임했습니
다.◀

그리고, 그 안내 문자가 나왔다.

▶[칸토르 소성]의 영주로 [앨리 캣츠]가 취임했습니다.◀

"해……."

"해냈다아아아아아아아."

저도 모르게 튀어 올랐다.

외친다, 아니 외치고 있다? 벌써 외쳤나?

아니, 잘 모르겠다.

해냈어! 아무튼 해냈다고!

"해냈다아아아아아아."

"이겼다냐아아아아아."

"발렌슈타인 꼴좋다!"

"완전 꼴좋다!"

누가 뭐라 말하는 건지도 모르겠다.

모두가 한데 엉켜 기뻐했다.

저기, 근데, 조금 다들 거리가 가까운데…… 아니, 됐어!

해냈어, 해냈다고!

지금만큼은 서로 끌어안으면서 기뻐해도 되겠지!

"다들 기뻐하고 있다냐."

고양이공주 씨의 말을 듣고 화면을 보자 그쪽에서도 환호

성이 몰아치고 있었다.

◆†클라우드† : 고양이공주 님의 승리다!

◆유윤 : 여신님께 영광 있으라!

오오오오오, 하고 환호성이 올라왔다.

이야~ 잘됐군, 잘됐어.

◆루시안 : 해냈어!

◆슈바인 : 잘 했다, 이놈들아!

◆아코 : 해냈어요!

◆세테 : 자이 나갑니다.

자이 내보내지 마!

◆고양이공주 : 다들 칭찬해주겠다냐!

◆애플리코트 : 이 성은 우리 것이다!

마스터가 그렇게 선언하고 영주의 의자에 앉았다.

"드디어 되갚아 줬네."

"음. 보았느냐, 이 배신자 놈들."

아, 역시 계속 마음에 두고 있었구나.

그런 마스터를 보던 바츠가 당황스러운 시선을 던졌다.

◆바츠 : 애플리코트. 아까 그건 제정신으로 한 거냐?

◆루시안 : 뭐야. 순순히 인정 못 하겠어?

답지도 않게, 라고 생각했지만.

◆바츠 : 인정을 못 하고 자시고, 나는 방금 진 게 아니라고.

그는 너 말이야, 라고 마스터를 보며 말했다.

◆바츠 : 방금 그 1분에 대체 몇백 M이나 쓴 거야?

뭐? 몇백 M? 무슨 소리지?

◆루시안 : 응? 무슨 소리야?

◆슈바인 : 아—.

마스터의 화면을 보던 세가와가 이마를 짚었다.

◆바츠 : 아까 내 공격을 견딘 그거, 한 방 맞을 때마다 이 그물 쓴 거잖아?

…………엥?

이그물이라니, 이그드라실의 물방울?

개당 10M에다 일회용인 그거?

아무도 안 쓴다고 했던 완전 회복 아이템?

◆바츠 : 게다가 그 대미지는 리플 포션 먹은 거잖아. 대체 몇 개나 마신 거야?

◆루시안 : 리플렉트 포션까지 마신 거야?!

중요한 순간만 쓰라고 했잖아!

◆애플리코트 : 어디 보자, 개전 전에 500개 있었다만— 남은 건 열세 개인가. 의외로 박빙의 승리였군.

◆바츠 : 이 성 가져봤자 5M도 못 버는데, 너 바보 아니냐ㅋㅋㅋ

◆루시안 : 그보다 그 돈 어디서 난 거야!

평범하게 플레이해서 손에 넣을 수 있는 액수가 아니잖아?!

◆애플리코트 : 어디서고 뭐고…… 창고에 있던 필요 없는 아이템을 팔았을 뿐이다만.

◆루시안 : 필요 없는 아이템을 팔아서 모을 수 있는 돈이

아니라고!

　◆애플리코트 : 그렇게 말해도 말이다. 뽑기로 얻은 아이템에, 패키지로 받은 것들을 모두 처분했을 뿐이다만.

　뭐…… 뽑기 아이템에, 패키지 아이템……?

　뽑기는 현실 돈으로 뽑기 티켓을 사서 랜덤으로 아이템을 받을 수 있는 그거지?

　패키지는 아이템 팩하고 같이 플레이 티켓이 들어있는, 스타터 패키지를 말하는 거지?

　그걸 게임 속 돈으로 만들었다는 건, 다시 말해서?

　"공식 현거래잖아아아아아아아아아."

　"약정 위반은 전혀 하지 않았다, 실례로군!"

　"결국 돈이잖아 이 양반아!"

　"대, 대체 얼마나 쓴 건가요, 마스터!"

　◆바츠 : 넌 대체 몇만이나 쓴 거냐ㅋ

　우연찮게도 아코랑 바츠가 같은 질문을 던졌다.

　그러나 마스터는 훗 하고 코웃음 치며 가볍게 대답했다.

　◆애플리코트 : 시시한 걸 묻지 마라. 원 코인밖에 쓰지 않았다.

　◆바츠 : 원 코인일 리가 없잖아.

　◆애플리코트 : 바보 같은 소리. 잘 들어라 바츠. 진리를 가르쳐주마. 동료를 위해 쓰는 거라면── 설령 100만 엔이라도, 원 코인이다!

◆바츠 : 이 녀석 완전 미쳤어ㅋㅋㅋ

부정할 수 없는 게 괴롭다.

솔직히 나도 이 사람은 이제 글러먹었다고 생각하는걸.

◆바츠 : 아아, 진 거라고 믿고 싶지 않은데, 이런 쓸데없이 돈 쓰는 녀석한테ㅋ

◆애플리코트 : 쓸데없는 돈이라고? 무슨 소리냐.

바츠가 물고 늘어졌지만 마스터는 오히려 자랑스러워 보였다.

◆애플리코트 : 이건 내 인생에서 두 번째로 유익하게 쓴 돈이었다.

◆바츠 : 너 대체 얼마나 진심인데ㅋㅋㅋ 좋네, 그거. 마음에 들어ㅋㅋㅋㅋ

아, 이 사람도 역시 글러먹은 사람이다.

라이벌을 찾아냈어! 같은 엄청 활기찬 표정인걸.

◆바츠 : 다음에는 절대로 밀어내줄 테니까 돈이나 쌓아두셔 애플리코트ㅋ

◆세테 : 저기, 근데 말이야. 바츤.

세테 씨가 슬쩍 옆에서 튀어나왔다.

◆세테 : 우리 다음 주부터는 안 올 건데?

◆바츠 : 뭐어어어어어?! 진짜로?! 재미없게!

◆코로 : 루시안, 오늘의 결판은?

◆루시안 : 탱커끼리의 결판이라니 좀 봐줘.

그보다 너네들 상대 같은 건 두 번 다시 사양이야.

◆바츠 : 진짜냐, 기대하고 있었는데.

바츠 일행은 마지막까지 아쉬운 듯이 성을 나섰다.

저걸 보니 저 녀석들, 우리가 참가하지 않아도 이 성에서 기다리고 있을 것 같네.

"뭐야, 마스터도 별난 사람들한테 사랑받잖아."

"조금도 기쁘지 않군."

드물게도 떨떠름한 표정을 보이는 마스터가 조금 재미있었다.

하지만, 어쨌든 이겼다.

다행이다— 라고 말하는 건 미묘하지만, 우리들의 표정에는 기분 좋은 달성감밖에 없었다.

"하아. 결국 마스터는 마스터였네."

"하지만 잘됐잖아요. 저렇게나 기뻐 보이고요."

"너도 말이야."

싱글벙글 웃는 아코에게 마주 웃어줬다.

"너는 어땠어? 돌격해서 엉망진창으로 당했는데…… 후회해?"

"아뇨. 매우, 만족해요!"

아코는 진심으로 만족스럽다는 듯이 말했다.

"노력해서 다행이에요!"

"그렇지?"

그럼 앞으로도 노력할 수 있겠네!

"그럼 문화제 당일에도 힘내라?"

"으엑."

아코의 미소가 빠직 굳었다.

이렇게 우리의 공성전은 끝났다.

그리고, 문화제가 시작됐다.

에필로그

환상 교역(校域)

"교감 선생님한테 혼났다냐…… 고양이공주 씨는 이렇게 나 노력했는데, 못 해먹겠다냐."

시무룩해진 고양이공주 씨가 조화로 장식된 현대통신전자 유희부실에서 늘어져 있었다.

"……왜 또 그런 건데요."

"게임 속에서 학생들이 당당히 학교 마크를 공개하다니 네티켓의 기본이 안 되어 있다나 뭐라나…… 아~ 정말, 그 말씀이 맞아. 선생님으로서 반박할 수가 없어."

"찍소리도 나오지 않는 정론이네요."

그러니까 나는 선생님이 막아줄 거라고 생각했다고, 이 기획.

"괜찮아. 알고 있었던 거니까."

선생님은 조금 아득한 곳을 보며 중얼거렸다.

"마지막 그때. 노력하고 또 노력하고 필사적으로 노력해서, 겨우 이긴 순간의 그 커다란 환호성. 그걸 들을 수 있을 거라 생각하고 허가한 거거든. 선생님은 너희들에게 제대로 학습할 기회를 주려고 했어. 전혀 후회는 없단다."

"……멋있네요. 고양이공주 씨."

"그렇지? 다시 반했니?"

너무 신 나신 것 같습니다만?

"그럼 선생님의 근무 평가는?"

"그~만~둬~."

우와아아앙 하고 울음을 터뜨렸다. 꼴좋다.

"그런데 전시 쪽은 어떤가요?"

"그럭저럭 인기 있던걸? 아직은 LA를 하는 사람이 오진 않은 것 같지만, 게이머 아이들은 꽤 하는데, 같은 느낌으로 보고 있었어."

"그건 잘됐네요."

뭐야 이건, 이라는 시선으로 끝나는 건 조금 슬프다.

헤에, 흐응, 정도로도 충분히 만족한다고.

"입부 희망자도 몇 명 있던걸? 이거 보렴. 여기 1학년의 조금 귀여운 아이도 있더라."

"버리고 오세요."

쓴웃음과 함께 말하자 선생님도 조금 어이없다는 듯이 웃었다.

"정말, 엉터리 같은 부활동이네."

"그러게요."

"뭐야. 사이토 교사와 루시안도 있었나."

타이밍 좋게 마스터도 왔다. 학생회 일이 빈 건가.

"안녕, 마스터. 꽤나 성황이라던데."

"다른 부활동과 비교하면 도저히 자랑할 만한 숫자는 아니지만 말이지."

입으로는 그렇게 말하면서도 방명록 노트에 적힌 이름들을 본 마스터는 조금 기뻐 보였다.

"그러고 보니 마스터. 조금 신경 쓰이던 게 있었는데, 물어도 돼?"

"뭐냐?"

"그때 바츠를 쓰러뜨렸을 때 그랬잖아. 이 돈은 지금까지의 인생에서 두 번째로 유익하게 쓴 돈이었다고."

"음. 그랬지."

그런 소리를 자랑스럽게 하던 게 선명하게 기억난다.

이러면 역시 신경이 쓰이지.

"그럼 가장 유익하게 쓴 건 어떤 때였는데?"

"……그런 걸 굳이 물을 필요가 있는 건가."

마스터는 평소라면 보여주지 않는 부드러운 미소를 지으며 살짝 눈앞의 컴퓨터를 만졌다.

"이걸, 내 파트너를 손에 넣은 그때인 게 당연한 것 아니냐."

조작할 수 없게 잠긴 화면 속에는, 칸토르 소성 여기저기에 휘날리는 마에가사키 고등학교의 학교 마크가 보였다.

그리고 그 한가운데에는 팔짱을 끼고 우뚝 선 애플리코트의 모습이 있었다.

기분 탓인지, 그 표정은 꽤나 만족스럽게 보였다.

다음으로 향한 곳은 아코네 반.

1학년인데 판매점을 한다는, 상당히 희귀한 교실이다.

다가가자 가게는 꽤나 혼잡했다.

덤으로 소란스러운 이야기 소리도 들려온다.

"저기, 아코. 이거 어떻게 할까?"

"타마키~? 차는 어디 있어~?"

"후에에, 모, 몰라요~!"

아~아, 다들 일부러 저러고 있구만.

아무것도 모르는 아코가 메이드장이니까 놀려대기는.

"이제 틀렸어요오오오오."

"우왓."

"햐웃?!"

교실 입구에 반쯤 울상인 아코가 있었다.

설마 이 녀석, 도망치려고 한 건가.

"야, 도망치면 어쩔 거야. 도망치면."

"루시안! 그치마아아안!"

"자자, 도망치면 후회한다?"

"우우우, 도망치지 않는 편이 더 후회될 것 같아요."

말은 그렇게 하면서도 아코는 마지못해 교실로 돌아갔다.

돌아오는 아코와 나를 히죽히죽 웃으며 바라보는 반 아

이들의 시선이— 참자, 참자.

그리고 아코는 나에게 등을 돌리고는 후~하~ 심호흡했다.

이윽고 빙글 돌아본 뒤, 생긋 웃으며 작게 인사를 한다.

"어서 오세요. 여보?"

"그건 메이드가 아니라고……."

어쩔 수 없나.

이 녀석은 내 메이드가 아니라, 내 신부니까.

쓴웃음을 짓는 나와는 정반대로, 아코는 너무나도 만족스러워 보였다.

■작가 후기

세력 채팅을 쓰고 있습니다.

오랜만입니다. 아니, 사람에 따라서는 처음 뵙는다고 해야 할까요.

키네코 시바이입니다.

『온라인 게임의 신부는 여자아이가 아니라고 생각한 거야?』가 놀랍게도 Lv.4가 되었습니다.

후기 처음에 써먹을 채팅란이 바닥을 드러낼 정도로 권수가 진행됐습니다.

이것도 오로지 독자 여러분 덕분입니다. 정말로 감사드립니다.

슬슬 소재가 떨어지지 않을까, 라는 걱정이 여기저기서 들려옵니다만 매일 재미있는 일들이 벌어지는 것이 온라인 게임 세계. 설마 소재가 떨어질 리가 있나! 라고 생각하며 매일 즐겁게 쓰고 있습니다.

그건 반대로 말하자면, 작가는 매일 어딘가에서 온라인 게임을 하고 있다는 게 되므로—.

키네코 시바이 씨는 언제 로그인해도 계시네요.^^

—같은 말을 듣는 것도 어쩔 수 없다고 생각합니다.

전혀 쇼크가 아닙니다. 가슴이 따끔거리지도 않습니다.

이 소설은 그런 작가의 슬픈 경험을 활용하고 있을지도 모릅니다.

그런데 사담이 됩니다만, 예전부터 적고 있는 『옛날 게임 속에서 결혼했는데 여자랑 바람이 나서 이혼한 여자 캐릭터』의 이야기입니다.

그녀와는 몇 년 후에 이야기를 나눌 기회가 있어서, 왜 그런 짓을 했어? 라고 물어봤습니다.

그러자 그녀는 『애초에 너를 좋아한다는 소리는 한 마디도 안 했잖아?』라는 대답이 날아왔습니다.

그러면 처음부터 거절해달라고요, 라고 혼자서 머리를 감싸 쥐었습니다.

그날 이후 게임 속에서의 결혼은 부계정으로 돌리는 자기 캐릭터끼리 말고는 하지 않습니다.

세력 채팅으로 썼습니다.

세력 채팅도 다 썼으니 사죄와 감사를.

일러스트의 Hisasi 씨. 이번에도 너무나도 귀여운 일러스트를 그려주셔서 감사합니다. 분명 귀여운 게 나올 테니까 괜찮아요! 라고 완전히 떠넘겨 버려서 죄송합니다.

독자의 시선으로 보기 위해 온라인 게임은 안 한다! 라며 온라인 게임을 하지 않는 담당님. 매번 민폐를 끼쳐서 정말로 면목이 없다고 생각합니다만, 온라인 게임 권유는 아직 포기하지 않았습니다.

　마지막으로, 이 책을 집어주신 여러분께 최대의 감사를.

　그럼 또 인연이 있다면 만납시다.

　키네코 시바이였습니다.

■역자 후기

안녕하세요. 불초 역자입니다.

온라인 게임부의 좌충우돌 온라인 게임 이야기도 어느덧 4권에 접어들었습니다. 여전히 즐겁게 보내는 것 같아서 부럽네요. 루시안과 아코의 사이는 완전히 반석처럼 단단해진 느낌이고요. 이렇게나 양다리 세 다리 안 걸치고 메인 히로인 일직선으로 나가는 러브 코미디도 꽤 드물어서 오히려 신선한 느낌입니다. 그래도 루시안이 폭발해야 한다는 것은 변함이 없습니다만.(엄격)(진지)

이번 주제인 공성전은 온라인 게임에서의 대표적인 PvP 요소죠. 요즘은 필드쟁이나 전장, 투기장 등등 다른 것들도 많아서 예전만큼 널리 쓰이진 않지만요. 게다가 어느 정도 규모가 있는 길드 아니면 참가가 거의 불가능한지라 저는 한 번도 참가해본 적이 없습니다. 세금이나 뜯겼지⋯⋯. 그래도 옛날부터 온라인 게임의 각종 주옥같은(?) 스토리들은 주로 공성전에서 생긴지라 친숙하긴 하네요. 적대 길드에 위장 잠입해서 친해진 다음 공성전 때 그 길원들이 모인

PC방 랜선을 잘라버려서 접속을 아예 못 하게 만든다거나, 폭거를 저지르는 강력한 독재 길드에 맞서 다른 이용자들이 거대한 연합을 만들어 대항한다거나 등등……. 본편에서는 그냥 살짝 다루고 말았습니다만, 이권이 걸려 있다 보니 폐해도 엄청 많죠. 그래도 그만큼 사람들을 끌어들이는 요소임에는 틀림없습니다. 동료들과 함께 치열하게 싸워서 승리를 쟁취하는 그 기분, 말할 것도 없겠죠. 어찌 보면 스포츠 감각?

그나저나 이건 여담인데, 이 소설은 고양이공주 선생님의 취급이 너무 안 좋은 것 아닌지? 이렇게 괜찮은 교사 캐릭터도 드문데 너무 박복하게 만들고 있지 않나요? 애들한텐 완전 친구 대접이지, 상사한텐 쪼이지, 주변에선 쪽팔리게 여신으로 떠받들지. 매권마다 한 번씩은 울상인 것 같은데 가끔은 볕들 날도 있었으면 좋겠습니다…….

그럼 이쯤하고. 다음 권에서 뵙겠습니다. 비도 안 오고 날씨도 무척 더운데, 다들 더위 조심하시길 바랍니다.

특별강좌

가르쳐줘!

noob 아코와 루시안의

온라인 게임!

아코 : 그런고로 계속하게 된 학습 코너입니다!

루시안 : 이번에는 조금 어려운 걸 할 거야.

아코 : 간단한 게 좋아요오…….

『대인전 게임』

아코 : 대인전 게임이란 즉 사람과 싸우는 게임이죠?

루시안 : 그래. 말 그대로지.

아코 : 하지만 MMO는 많은 사람이 동시에 즐기니까 일부러 구별하지 않아도 대부분 대인전 게임 아닌가요?

루시안 : 아…… 그건 조금 복잡해. 확실히 게임 속 미니 게임으로 대결해도 대인전이고, 던전 클리어 타임 어택으로 경쟁해도 대인전이긴 하니까. 하지만 그런 건 그다지 대인전이라고 부르지 않고, 역시 육성한 캐릭터로 직접 싸우는 게 주로 대인전 요소라고 취급돼.

아코 : 우우, 내용물이 있는 사람과 싸우는 건 무서워요.

루시안 : 뭐, 그렇지. 싸우는 건 지금까지 계속 키워온 자기 캐릭터니까, 감정 이입하는 사람이 많아.

아코 : 지면 자기가 완전 부정당한 것 같은 기분이 든다고요…….

루시안 : 아코는 조금 지나치지만, 누구나 비슷한 기분이 들지. 익숙해질 때까지는 상대를 적이라고 잘 인식하지 못하기도 하고. 같은 게임을 한다는 의미에서는 대전 상대도 어엿한 동료니까.

『DEF, MDEF』

아코 : 이건 알아요! DEF가 물리 방어력, MDEF가 마법 방어력이에요!

루시안 : 오, 정답. 힐러는 생존 능력도 중요하니까, 아코는 확실히 올려야 해.

아코 : 참고로 어느 쪽을 우선해서 올려야 좋을까요?

루시안 : 음, 게임에 따라 다르지. 우리가 하는 LA에서는 몹 사냥에서는 DEF, 대인전에서는 MDEF를 올리는 게 정석이야.

아코 : 공용은 못 하는 건가요?

루시안 : 장비를 강화하면 둘 다 올라가니까 초과금하면 둘 다 단단해지지.

아코 : 그래서 마스터는 그렇게 오래 살아남는 거네요.

루시안 : 솔직히 부러워. 가끔은 나보다도 단단하니까.

『쿨타임, 딜레이』

아코 : 이 두 개는 자주 듣는데, 구체적으로 뭐가 다른 건가요?

루시안 : 이게 복잡하긴 하지. 먼저 쿨타임이라는 건, 어떤 스킬을 쓴 뒤에 그걸 다시 한 번 더 쓸 수 있게 되기까지의 시간이야.

아코 : 힐을 쓴 뒤에 5초간은 같은 힐을 쓰지 못하는 그거네요.

루시안 : 그런 느낌. 강한 스킬일수록 쿨타임도 길게 만들어서 가장 강한 스킬만 주야장천 연발하는 게임이 되지 않도록 하는 거야.

아코 : 그럼 딜레이는요?

루시안 : 스킬을 쓴 뒤에 다음 행동을 할 수 있게 되기까지의 시간이려나. 이건 같은 스킬이 아니라도 적용돼. 예를 들어 슈가 썼던 대검을 회전시키는 스킬은 대미지 판정이 나온 뒤에도 1초 가까이 다른 스킬을 쓸 수 없어.

아코 : 란란은 위험하네요.

루시안 : 남 일인 것처럼 말하지 마. 그럴 때 우리가 지원을…… 아니, 새삼스럽나. 참고로 딜레이도 『스킬 딜레이』랑 『모션 딜레이』의 두 종류가 있는데.

아코 : 또, 또 종류가 있나요?

루시안 : 스킬 딜레이는 스킬을 쓴 뒤에 다음 스킬을 쓸 수 있게 되기까지의 시간. 모션 딜레이는 스킬을 쓴 뒤에 뭔가 다음 행동을 취할 수 있게 되기까지의 시간이야. 대미지 판정이나 스킬 효과가 발동한 뒤에 생기는 경직 시간이지.

아코 : 루시안, 잠깐 저기, 이해력이 따라가지 못하겠는데요?!

루시안 : 어느 쪽도 일부 스킬이나 행동으로 캔슬할 수 있는 경우가 있어서, 그런 걸 『모션 캔슬』이나 『딜레이 캔슬』이라고 불러. 이동 캔슬, 앉기 캔슬, 응급 치료 캔슬 등등 게임마다 여러 종류가…….

아코 : 나, 나머지는 다음 시간에! 기대하세요!

루시안 : 안 끝났어. 내 이야기는 아직 안 끝났다고!!

아코 : 이젠 싫어요오오오오.

▷

온라인 게임의 신부는 여자아이가 아니라고 생각한 거야? 4

1판 1쇄 발행 2015년 9월 10일
1판 2쇄 발행 2016년 3월 30일

지은이_ Kineko Shibai
일러스트_ Hisasi
옮긴이_ 이진주
일본판 오리지널 디자인_ AFTERGROW

발행인_ 신현호
편집부장_ 김은주
편집진행_ 최은진 · 김기준 · 김승신 · 원현선
편집디자인_ 양우연
국제업무_ 김현희
관리 · 영업_ 김민원 · 조인희

펴낸곳_ (주)디앤씨미디어
등록_ 2002년 4월 25일 제20-260호
주소_ 서울시 구로구 디지털로 26길 111 JnK디지털타워 503호
전화_ 02-333-2513(대표)
팩시밀리_ 02-333-2514
이메일_ lnovel.admin@gmail.com
L노벨 공식 카페_ http://cafe.naver.com/lnovel11

원제 원제 netoge no yome wa onnanoko zya nai to omotta?
© KINEKO SHIBAI 2014
Edited by ASCII MEDIA WORKS
First published in 2014 by KADOKAWA CORPORATION, Tokyo.
Korean translation rights arranged with KADOKAWA CORPORATION, Tokyo, through KCC.

ISBN 978-89-267-9980-2 04830
ISBN 978-89-267-9843-0 (세트)

값 6,800원

당신이 사는 마을의 도시전귀! 1~2권

키네코 시바이 지음 | 우라비 일러스트 | 정홍식 옮김

민속학자를 목표로 도시전설을 조사하고 있는 고등학생 야사카 이즈모.
「보라색 거울」 연구를 하다가 생일을 맞이한 그에게
전설과 같은 괴기 현상이 발생한다!
그리고 출현한 것은 『도시전귀(都市傳鬼)』 보라색 거울임을 자칭하는 소녀였다.
도시전설을 사랑하는 이즈모는 도시전귀를 한 권의 책으로 편찬하려고 하는데……
그 사실을 주워들은 전귀들이 속속 이즈모 앞으로 찾아온다!
깜찍하지만 피범벅인 일본풍의 어린 소녀부터 흉포한 무기를 꼬나 쥔 누님,
초고속으로 쫓아오는 소녀에 잘린 머리까지……
계속되는 괴기 현상에 휘말리는 겁 많은 이즈모,
그의 미래는 어떻게 될까?!

『온라인 게임의 신부는 여자아이가 아니라고 생각한 거야?』작가의 훈훈한 괴기담!

L NOVEL

© 2012 Touka Takei, Karei/ KADOKAWA CORPORATION

여기에서 탈출하고 싶다면 서로 사랑하라 1~2권

타케이 토카 지음 | 카레이 일러스트 | 이은혜 옮김

하렘 건설이 소원인 고등학생 코엔지 유마는 어느 날 수수께끼의
고양이귀 반우주복 소녀에 의해 낯익은 소녀들과 함께 학교에 갇히게 된다.
혼란해하는 그들에게 범인인 소녀가 알려준 단 하나의 탈출방법—
그건 바로 「서로 사랑하기」?!
거대한 밀실로 변한 학교에서 탈출하기 위해 소년소녀들은
「서로 사랑하기」로 결심했다! ……그랬는데,
그들은 어찌할 도리가 없는 연애 초보였다?!

타케이 토카가 그리는 밀실연애로얄, 지금 개막!!